DATE OF RETURN
UNLESS RECALLED BY LIBRARY

1 7 JUN

D0715543

TOMÁS
GUTIÉRREZ
ALEA

José Antonio Évora

TOMÁS
GUTIÉRREZ
ALEA

Cátedra/Filmoteca Española
Signo e Imagen/Cineastas Latinoamericanos

Diseño de colección: Manuel Bonsoms

Ilustración de cubierta: *Guantanamera,* de Tomás Gutiérrez
Alea

Procedencia de las fotografías: Colección particular Tomás
Gutiérrez Alea, Cinemateca de Cuba y Alta Films

© José Antonio Évora
Asociación Cultural Certamen Internacional de Films Cortos
"Ciudad de Huesca"/Filmoteca Española/
I.C.A.A./Ministerio de Cultura
Ediciones Cátedra, S. A., 1996
Juan Ignacio Luca de Tena, 15. 28027 Madrid
Depósito legal: M. 16.176/1996
N.I.P.O.: 303-96-009-7
I.S.B.N.: 84-376-1433-3
Printed in Spain
Impreso en Fernández Ciudad, S. L.
Catalina Suárez, 19. 28007 Madrid

Para Leo, Víctor y Cristy

Cuando este libro está a punto de imprimirse, nos llega la noticia del fallecimiento de Tomás Gutiérrez Alea (La Habana, 16 de abril de 1996).

El autor y los editores dedican esta obra a su memoria.

Tomás Gutiérrez Alea (San Francisco)
© Nick Allen, 1980. San Francisco, USA

Alea bajo palabra

Este libro pone en crisis el cómodo axioma de que los cineastas expresan su visión del mundo por medio de imágenes. La relación de Alea con las palabras va mucho más allá de lo que sugieren términos como dramaturgia o lenguaje audiovisual. En el centro de sus obsesiones artísticas late siempre una inquietud que puede y suele expresarse verbalmente, pero que debido a razones misteriosas exige ser transmitida por medios audiovisuales. Si el vocablo *idea* conservara su estricto sentido etimológico —tan cercano a la fantasmagoría—, me atrevería a decir que el cine de Alea es la expresión simbólica de una incesante actividad intelectual. Al mismo tiempo, su propia práctica creadora lo ha impulsado a una reflexión permanente, tanto crítica como autocrítica, que se concreta en artículos, declaraciones y, sobre todo, en el conjunto de ensayos recogidos en *Dialéctica del espectador*, verdadero manifiesto latinoamericano de una desafiante actitud: la que aspira a hacer del espectáculo algo *socialmente productivo* y del artista —del cineasta, en este caso— un agitador de conciencias capaz de involucrarse en proyectos de transformación social, no sólo como crítico sino incluso como militante. Son grandes palabras, lo sé, algunas de las cuales han caído en descrédito, pero Alea siempre ha sabido convertirlas en sustancia dramática. Véase, por ejemplo, la famosa escena del banquete en *La última cena:* con su cámara fija y sus cincuenta minutos de duración es sin duda una de las secuencias más verbosas de la historia del cine, pero sorprendió a los críticos por su impecable fluidez. Penélope Gilliat abordó el enigma con la agudeza de los escoliastas medievales: «Es —comentó en *The New Yorker*— la película más interesante y compleja que se haya hecho sobre casuística.» Tal vez de *Fresa y chocolate* —salvando las distancias— pudiera decirse lo mismo. No parece casual que tantos personajes de Alea, por afición o profesión, estén vinculados a la escritura: el narrador de *Memorias del subdesarrollo,* el cronista de *Los sobrevivientes,* el guionista y dramaturgo de *Hasta cierto punto,* el amanuense de *Cartas del parque* (film este último, por cierto, cuyo verdadero tema, según Susana Conde, gira en torno al *poder de la palabra)...* No quisiera forzar el parentesco pero es curioso que Alea, en su juventud, se sintiera fascinado por una propuesta de Zavattini —resumida en la fórmula *usar la cámara como una estilográfica*— que apelaba a la metáfora de la escritura para aludir a un cine directo y barato. En fin, en estas redes verbales entran los vínculos de Alea con las obras literarias, algo tan obvio que no requiere comentarios. Seis de sus doce largometrajes se basan en textos narrativos y dos en ideas procedentes de fuentes bibliográficas. Todo parece indicar, sin embargo, que él sólo halla en los textos lo que busca, la formulación de inquietudes muy íntimas que aún permanecen inexpresadas: «Lo que ocurre —dice— es que las ideas que tengo dentro, las encuentro en una novela o en un argumento que ya existe.» Sospecho que encuentra en ellos algo más: fisuras, intersticios, zonas vacías o imprecisas en las que puedan injertarse orgánicamente los matices de un conflicto, las variantes de tono, los aportes inesperados de las circunstancias o el azar. Es por eso que todas sus películas —con independencia de sus respectivos géneros u orígenes— tienen el sello de su autoría, rasgos temáticos y estilísticos marcadamente personales. Tal vez sea posible rastrear ahí otras huellas, en especial la de *El sentido del cine*, ese Evangelio rojo de la teoría cinematográfica que Alea devoró como un converso cuando aún no había cumplido veinte años. Tratando de hallar el fundamento práctico de su imposible vocación, se preguntaba para qué sirve el cine, y aunque Eisenstein no tenía respuestas para él —para esos loquitos que soñaban con ser cineastas en los países subdesarrollados—, lo incitaba a buscarlas por sí mismo y con un enfoque dialéctico, es decir, entrelazando las necesidades expresivas a las comunicativas, las aspiraciones individuales a las sociales. Cuando años más tarde Alea descubra a Brecht, habrá encontrado el equilibrio teórico necesario para fundamentar, sin concesiones, una práctica cinematográfica de vanguardia.

Admito que no hacía falta este rodeo para decir algo tan simple como que toda la trayectoria artística de Alea está marcada por su relación con las palabras. Esto se manifiesta, sobre todo, en sus nexos con la literatura, en su gusto por la teoría, en las propuestas dramáticas encarnadas por locuaces personajes: aristócratas que discurren sobre teología, burgueses que enjuician la Revolución, burócratas que se proclaman sus voceros, borrachos que hablan con sus perros sobre la salvación eterna, jóvenes que acaban encontrando un lenguaje común por encima de sus absurdas discrepancias... Alea sabe que con tan modestas credenciales no es posible competir con el vértigo de los vehículos supersónicos, las orcas asesinas o los voraces dinosaurios, pero confía en los antiguos rituales de la convivencia, en las inexorables virtudes persuasivas de la voz humana. Consta que aún en 1992 —en plena conmemoración del Quinto Centenario— había indios en América Latina que vivían inmersos en un tiempo prehispánico: ignoraban incluso que habían sido *descubiertos*. Casi treinta años después de *Memorias del subdesarrollo*, a casi veinte del estreno de *La última cena*, a Alea le resulta difícil admitir que, como cineasta, ha sido descubierto recientemente; es así, no obstante, y lo es gracias a la triunfal irrupción de *Fresa y chocolate* en los circuitos comerciales de gran parte del mundo. Ese éxito —y el más reciente de *Guantanamera*— le han proporcionado a Alea una incanjeable satisfacción: la de saber que puede compartir sus inquietudes con una audiencia enorme, o, para expresarlo con sus propias palabras, «que hay muchas personas en el mundo que se interesan por esas pequeñas cosas que todavía uno necesita decir».

El lector encontrará en este libro algunas de esas lúcidas o conmovedoras pequeñeces, con las que el ensayista y crítico José Antonio Évora —apelando a la astucia periodística y el rigor intelectual— ha tenido la habilidad de componer un verdadero *retrato hablado* de Alea para probar así, de paso, que aun fuera de la pantalla no es poco lo que éste tiene que decir.

AMBROSIO FORNET

He aquí el resultado de casi cinco años de trabajo, interrumpido más de una vez por razones que ahora no vienen al caso. Fue justamente el prologuista de esta edición, Ambrosio Fornet, quien me sugirió seleccionar y agrupar por temas textos de Tomás Gutiérrez Alea en un volumen que de algún modo extendiera aquel otro editado por él en 1987 bajo el título de *Alea, una retrospectiva crítica*. A diferencia de ése, que reproducía numerosos fragmentos de comentarios sobre películas de Titón (como llaman a Gutiérrez Alea sus amigos), éste se limitaría a reunir textos escritos por el cineasta y declaraciones hechas en entrevistas, de manera que el lector interesado en conocer sus opiniones con respecto a tal o cual asunto no se viera obligado a hacer la pesquisa que fue necesaria para completar este libro.

Cuando Titón, Fornet y yo hablamos del proyecto, sólo dije que me gustaría agregar un ensayo sobre la obra del primero, y estuvimos de acuerdo en que de varias entrevistas que sostuviéramos Titón y yo —de las que al final también me vi obligado a escoger sólo fragmentos, porque reunidas ofrecen material para un libro aparte— podrían salir las necesarias actualizaciones de cada tema. Y así ha sido.

De modo que el lector encontrará a continuación una especie de *collage* con notas al pie de cada página, en las cuales se indica de dónde procede cada fragmento. Los capítulos finales *(Proyectos y Sobre la vida, la muerte y otras boberías)* salieron íntegramente de la entrevista, al punto que es donde únicamente aparecerán todo el tiempo las preguntas que le hacía yo durante nuestras conversaciones. El libro cierra con el ensayo *Un cine de síntesis y revelación*; la biofilmografía, las fichas técnicas de sus películas (que, en el caso de los largometrajes de ficción, incluyen fechas de rodaje y de estreno, salas donde fueron estrenados y lista de premios), las retrospectivas de su obra que se han realizado dentro y fuera de Cuba, y la más extensa bibliografía que se haya publicado hasta ahora sobre él. Para completar esta última conté con la colaboración de dos investigadoras a las que admiro mucho: María Eulalia Douglas (Mayuya), especialista de cine cubano de la Cinemateca de Cuba, y Teresa Toledo, especialista de cine latinoamericano.

A medida que avanzaba en el ordenamiento de cuanto había reunido, me di cuenta de que éste iba dejando de ser solamente un libro para conocer más a Tomás Gutiérrez Alea y se iba convirtiendo en uno para conocer mejor el cine. Ojalá que usted pueda decir lo mismo.

JOSÉ ANTONIO ÉVORA

Formación

Recuerdo las primeras veces que fui al cine; creo que era al cine Roxy, allá en Marianao (La Habana), donde yo vivía. Tendría alrededor de siete años. Nunca se me olvida un noticiero de aviones que venían hacia la cámara y pasaban por encima, y entonces yo estaba seguro de que esos aviones habían caído en la azotea del cine; que eso allá arriba debía estar lleno de aviones[1].

Cuando empecé a sentir el cine como un medio de expresión a través del cual yo podría encauzar mis inquietudes, ya había intentado transitar por otros terrenos sin demasiada fortuna o sin encontrar una satisfacción plena. Tenía afición a la pintura desde que era muy niño, pero con una insistencia que prolongó esta actividad más allá de lo que parece ser en la generalidad de los niños una necesidad natural de jugar con los colores, de estampar una huella visible, de la misma manera que es una necesidad natural emitir sonidos no sólo para tratar de comunicarse, sino para disfrutar, para jugar, para cantar. También la música fue el objeto de mi preferencia durante mucho tiempo. La estudié formalmente durante seis años. Desde hacía algún tiempo venía descubriendo la literatura y escribí lo que pude y como

---

[1] Entrevista con el autor.

pude. Nada extraordinario, por cierto, pero lo importante es que se me iban revelando algunos mecanismos de creación artística y sus relaciones con los distintos medios que exploraba. Todo esto definía una evidente inclinación hacia lo que se ha dado en llamar *humanidades*. Pero había más. La curiosidad me llevó también a explorar el mundo de la técnica. Rompí no pocos aparatos y juguetes mecánicos tratando de averiguar cómo funcionaban. Y la poesía que irradiaba cualquier acto de magia o de ilusionismo me inquietó tanto que no pude dejar de asomarme también al mundo de la prestidigitación... Se puede ver fácilmente que esta aparente dispersión tiene un centro de gravedad, un sitio compartido, una actividad que sintetiza todas esas inclinaciones: el cine. El día que me di cuenta de eso sentí una mezcla de felicidad —yo era un asiduo espectador cinematográfico— y de frustración: en esos años no había la más mínima posibilidad de dedicarse al cine seriamente en mi país. Se me mostraba un mundo maravilloso al que no podía tener acceso. Pero ya se sabe que cuando uno es joven piensa que puede vencer todos los obstáculos, pues tenía uno movido por impulsos incontenibles. Así fue. Comencé a jugar con el cine, me sentía feliz y tuve la certeza de que eso era lo único que me interesaba hacer a partir de entonces[2].

El cine es el medio que está más directamente relacionado con la realidad. El cine opera no sólo con colores, sonidos, abstracciones, sino con cosas muy concretas como personas, objetos. Cosas tangibles de la realidad, las cuales carga de significado y nunca puede desvincularlas de ese contacto con la realidad. El cine tiene en sí mismo una vocación realista. Justamente porque está comprometido con aspectos de la realidad que son los que finalmente forman, hacen la película. Esos

---

    [2] Augusto Bernal y Carlos Tapia, «Del neorrealismo al subdesarrollo», *Arcadia va al cine*, Bogotá, octubre-noviembre de 1986, pág. 43.

aspectos pueden estar más o menos, digamos, manipulados. No es la realidad tal como uno la ve, sino como la imagina. Me interesa recoger todos esos planos y me interesa no sólo que el cine me sirva como medio de expresión, sino también, y de manera especial, que sirva para entender mejor el mundo, para entender mejor la realidad y para ayudar al espectador a avanzar en ese sentido[3].

Uno de los momentos inolvidables en los que se va determinando la propia vocación fue para mí el primer encuentro con *El sentido del cine*, de S. Eisenstein, hecho que tuvo lugar allá por 1948 o 1949. (...) Recién estrenaba mis inquietudes con relación a la política y a la sociedad en que vivíamos y me hacía muchas preguntas. También había comenzado a pensar en el cine como en un juguete fabuloso, y no sabía muy bien para qué podía servir. Fue entonces cuando cayó en mis manos —ahora no podría recordar cómo— el libro de Eisenstein, de cuyas películas había oído hablar lejanamente, y a las que no tuve acceso sino algún tiempo después. Fue para mí un libro decisivo, aun cuando como resultado primero de aquella lectura y de las discusiones que provocó entre mis amigos sólo recuerdo haber sufrido una seria indigestión de confusas teorías sobre el montaje, el contrapunto audiovisual, el cine y la dialéctica, etc. Fue necesario un período de maduración y asentamiento para llegar a asimilarlas en su justa medida y para que fructificaran en la práctica. Pero, ciertamente, nunca me han abandonado aquellas primeras inquietudes, aquel entusiasmo del primer hallazgo, aquellas ideas que echara a andar el genial maestro[4].

Fui a Roma entre 1951 y 1953. Allí coincidí con Julio

3 Guillermo González Uribe, «Nuestro cine está regido por cineastas, no por burócratas», *El espectador,* Bogotá, 22 de diciembre, 1985, pág. 7.
4 «Hablan los cineastas», encuesta de la revista *América Latina,* Moscú, núm. 4 de 1977, págs. 176-177.

García Espinosa. El Centro Sperimentale nos proporcionó un barniz académico, pero la realidad que vivía Italia en aquellos años fue lo suficientemente intensa y políticamente interesante como para acelerar el proceso de maduración política que había comenzado años antes. En lo que al cine se refiere, el neorrealismo seguía siendo el movimiento más vital y yo me sentí, como tantos jóvenes que se acercaban entonces al cine, literalmente arrastrado por esa tendencia. Después de todo, ése también fue un factor importante en la decisión que habíamos tomado de ir a estudiar a Italia. Allí creció mi admiración por De Sica y Zavattini y por Rossellini, pero también descubrimos otras figuras que después pasaron a ocupar un lugar preponderante, como Visconti. También es verdad que ya el neorrealismo comenzaba a manifestar señales de cansancio y de banal comercialización. Se exploraban otros terrenos, pero para nosotros, que todavía no habíamos podido llevar a la práctica nuestras ideas, seguía el neorrealismo ejerciendo una decisiva fascinación.

(...)

Cuando regresamos a Cuba, (...) las circunstancias (...) no podían ser más adversas para cualquier intento de desarrollar un proyecto cinematográfico. Nadie creía en nosotros porque aún no habíamos dado pruebas de nada. Nadie estaba dispuesto a invertir dinero en una idea tan absurda como ésa de hacer un filme. Y como no se había visto todavía ninguna película cubana que alcanzara un mínimo de dignidad y que al mismo tiempo se pudiera vender, de manera que resultara de todo ello un negocio aceptable, todos los esfuerzos que hicimos para llevar a cabo proyectos de filmes resultaron vanos. Nuestras actividades cinematográficas se reducían prácticamente a la divulgación de filmes de calidad y a enriquecer nuestra formación teórica; es decir, actividades propias de cine-club.

Al cabo de tres años sin encontrar trabajo desde que regresé de Italia, pude comenzar como proyeccionista y

Tomás Gutiérrez Alea con Ramón F. Suárez,
director de fotografía

administrador de una pequeña empresa publicitaria que
se llamaba Cine-Revista. Primero se exhibían materiales elaborados en México, pero poco tiempo después,
cuando empezamos a producirlos en Cuba, yo pasé a
ocupar el cargo de director técnico; es decir, de realizador. Producíamos un rollo (10 minutos) semanal que
comprendía uno o dos pequeños documentales o reportajes y seis o siete chistes escenificados con actores.
Todo este material se realizaba en blanco y negro y llevaba intercalados cinco o seis anuncios comerciales en
colores de 20 segundos de duración cada uno.

Cine-Revista alcanzó una gran popularidad por
aquellos años y a mí me brindó la oportunidad de ad-
quirir alguna experiencia en el trabajo con actores y en
el manejo del humor. También me mantuvo en estrecho
contacto con la realidad de mi país, que iba descubriendo en buena medida a través de la producción de
documentales y reportajes. Fueron tres años de intenso

trabajo. Sin embargo, no abandoné nunca la idea de realizar filmes de largometraje y desarrollé unos cuantos proyectos que, como siempre, terminaban en la gaveta de alguien. Por otra parte, en el grupo de cinéfilos que integrábamos la Sección de Cine de la sociedad cultural Nuestro Tiempo, surgió la idea de reunir una cierta cantidad de dinero para realizar un filme en 16 milímetros que de alguna manera iba a servir para probar nuestra capacidad para realizar algo interesante. Discutimos mucho las ideas, exploramos distintas zonas del país donde pudiéramos ubicar nuestra historia y finalmente seleccionamos el proyecto de Julio García Espinosa, de manera que él fue quien asumió la dirección del mismo, pero todo el grupo participó activamente en su realización. El resultado fue un filme de unos 40 minutos de duración titulado *El Mégano,* cuyo argumento está basado en las historias que nos contaron los trabajadores que extraían madera para hacer carbón del fondo de una ciénaga, al sur de La Habana. Los carboneros se convirtieron en actores que representaban conflictos que eran los de sus propias vidas y se mostraban con una óptica neorrealista las condiciones de explotación en que se encontraban. Se exhibió públicamente una sola vez, pues al día siguiente la policía de Batista cargó con la copia, el negativo y los realizadores. El hecho no tuvo mayores consecuencias. No se armó ningún escándalo, nadie protestó, nadie se dio por enterado. Pero nosotros reafirmamos nuestra convicción de que era imposible llevar adelante cualquier intento serio de hacer cine en aquellas circunstancias de extrema opresión.

(...)

Inmediatamente después del triunfo de la Revolución pasé a trabajar con Julio [García Espinosa] en la creación de una sección de cine en la Dirección de Cultura del Ejército Rebelde, y allí realicé *Esta tierra nuestra,* que fue el primer documental producido por la Revolución. Duraba unos veinte minutos y tenía que ver con la reforma agraria que se estaba llevando a cabo como una de las medidas más urgentes y más radicales para cambiar las bases económicas y sociales en que se debía desarrollar nuestro país a partir de entonces.

(...)

Antes de terminar el documental, ya había pasado a trabajar con Alfredo Guevara y otros compañeros en la creación de lo que más tarde recibió el nombre de Instituto Cubano del Arte e Industria Cinematográficos. Allí ese mismo año 1959 comencé el trabajo en *Historias de la Revolución* (1960), que fue mi primer largometraje de ficción. Si se considera que yo nunca había trabajado como asistente y que ni siquiera había seguido de cerca la realización de un largometraje, se comprenderá que para mí esa primera película fue una experiencia difícil, una aventura riesgosa a la que pude sobrevivir con veinte libras menos de peso y una urgente necesidad de acometer otro proyecto en el que pudiera rectificar errores y poner en práctica todo lo que había aprendido casi de golpe[5].

Aprecio a muchos cineastas y también determinadas obras de algunos de ellos. Pero si debo escoger los que más me han marcado, y para no hacer una lista demasiado extensa, debo mencionar a Buñuel, con quien me identifico de manera muy visceral, y, en el polo opuesto, a Godard. No disfruto su obra, pero es evidente que me marcó[6].

Buñuel me ha marcado, y también lo disfruto como personalidad, en un nivel afectivo. Reconozco que soy diferente a él; sin embargo, hay algo en medio de toda esa irreverencia y del carácter provocador de su obra en lo que advierto cierto candor, una cosa limpia con la que me identifico. Buñuel estuvo trabajando durante los últimos años de su vida con Jean-Claude Carrière. Am-

5 Augusto Bernal y Carlos Tapia, ob. cit., págs. 43-46.

6 Roselind Paellinck, «Tomás Gutiérrez Alea», *Resumen,* Caracas, 29 de enero, 1984, pág. 31.

bos hicieron un guión que no se llegó a filmar, basado en una novela titulada *El monje*. Hace poco compré ese guión, editado con ilustraciones hechas por Carrière, y mira qué cosa tan curiosa: en muchas de ellas, los personajes son curas tratados con irreverencia, y uno de esos dibujos es exactamente igual a otro mío de una época en la que, por cierto, también los curas solían ser mis personajes favoritos: es la representación bastante escueta de un sacerdote por debajo de cuya sotana sale el rabo del diablo.

A pesar de que yo no estudié en colegios religiosos —pero en mi casa sí recibí una educación católica, aunque no tan rigurosa como en otras familias cubanas—, siempre tuve mucha inquietud por conocer la religión y también sentí fascinación por ese mundo. Al mismo tiempo, era muy irreverente ante toda esa solemnidad, y creo que es exactamente eso mismo lo que encuentro en Buñuel[7].

---

[7] Entrevista con el autor.

Mis películas

Empezamos a discutir ideas para ver qué podíamos hacer. Finalmente llegamos a un consenso: teniendo en cuenta nuestra inexperiencia y que tampoco teníamos medios técnicos adecuados, no podíamos comprometernos en hacer *la gran película* de la Revolución ni nada parecido. Nos acordamos de *Paisà* y ahí apareció la clave, el modelo para trabajar con los pies en la tierra. El filme de Rossellini constaba de cinco episodios diferentes sobre la Segunda Guerra Mundial en Italia, y nosotros vimos que esa estructura reducía los riesgos. Podíamos fallar en alguna historia, pero no en todas. Esa forma permitía también que abarcáramos diferentes aspectos de la lucha: el clandestino en la ciudad, en la sierra y la obtención del triunfo.

En un principio serían cinco historias, tres mías y dos de José Miguel García Ascot, pero eso hubiera resultado demasiado largo y sólo quedaron las mías. Las de García Ascot se utilizaron para otro filme[8].

(...)

---

[8] Esa otra película fue *Cuba 58*. (Nota de T. G. A.)

Trabajé el guión con Humberto Arenal, de cuya novela *El sol de plomo,* que narraba aspectos de la lucha clandestina, tomé la escena final. A pesar de la inexperiencia trabajamos bien y con mucha entrega. En cuanto tuvimos listo el primer guión comenzamos a filmar sin tener el segundo: estábamos locos por arrancar.

(...)

El primer problema fue con la fotografía: yo estaba fascinado con la textura de los filmes neorrealistas y quería apoyarme en esa línea plástica; ésa fue la razón de que me pusiera feliz cuando me dijeron: «Viene Otello Martelli.» La fotografía de *Paisà* era de él, y vino a Cuba porque Alfredo Guevara le había hablado del proyecto en Italia, le interesó y decidió ayudarnos. Lo que no vi en aquel momento fue que el filme de Rossellini lo había hecho hacía mucho tiempo y que lo más reciente de Martelli era *La dolce vita,* que nada tenía que ver con el estilo que yo pretendía.

(...)

Yo quería una imagen más dinámica, más suelta en la puesta en escena, con una fotografía de altos contrastes, dura, dramática. Sin embargo, el resultado fue una puesta en escena acartonada, protegida por movimientos de cámara demasiado cautelosos y una fotografía suave donde se veía todo. Desde el punto de vista técnico su trabajo fue perfecto, sólo que estaba en contradicción con la propuesta estética. Eso no lo podía controlar, no sólo por mi inexperiencia, sino porque no veía los *rushes.* Si hubiera podido ver el material que íbamos filmando como normalmente se hace, cada dos días, creo que hubiera sido posible modificar algunas cosas, pero lo que yo vi fue ya el hecho consumado[9].

---

[9] Silvia Oroz, *Tomás Gutiérrez Alea: los filmes que no filmé,* La Habana, Ediciones Unión, 1989, págs. 40-43. *Historias de la Revolución* se reveló en un laboratorio de Nueva York y los *rushes* iban siendo enviados a Cuba cuando terminaba el rodaje de cada cuento. (Nota de T. G. A.)

Rebeldes, episodio de *Historias de la Revolución*

Creo que *[Rebeldes,* el segundo cuento] tiene el mejor guión. Sus errores están más en la realización que en el guión. Si pudiera me gustaría volverlo a hacer ajustando algunas cosas... El tema de *[El herido,* el primer cuento] también me gusta, pero el guión es inferior y la realización más pobre que en los otros. La verdad es que el tema de *El herido* daría un largometraje. Al resumirlo en un cuento queda demasiado sintético, demasiado desnudo[10].

---

[10] Néstor Almendros, «Historias de la Revolución, de Tomás Gutiérrez Alea», *Bohemia,* La Habana, año 53, núm. 3, 15 de enero, 1961. Tomado de Néstor Almendros, *Cinemanía. Ensayos sobre cine,* Barcelona, Seix Barral, 1992, pág. 147.

Había leído *Las doce sillas* antes del triunfo de la Revolución, me había divertido y me había revelado aspectos risueños del proceso de transformaciones en la Unión Soviética después del triunfo de la Revolución de Octubre. Eso me interesaba. Siempre pensé que ese material podía dar una película, sólo que no teníamos revolución en Cuba y cuando la tuvimos pude ver inmediatamente que muchas situaciones que estaban en la novela, como maneras de proceder de la gente, formas de resolver problemas, podían desarrollarse en nuestro contexto. Lo que me fascinaba era la posibilidad de mostrar cómo se desenvuelve la vida en una situación límite como la que estábamos viviendo, porque por un lado la propaganda anticomunista la muestra como algo sombrío, tétrico, y por otro, la propaganda medio esquemática de alzar los puños y levantar banderas impide ver la riqueza de lo cotidiano más elemental. No hice ningún esfuerzo por acordarme de esa novela: la coincidencia de situaciones semejantes era evidente y me interesaba desarrollar una trama simple pero reveladora de lo que era este país en esos años[11].

Puede decirse que quedé lamentablemente traumatizado con las *Historias...* Ésa (...) era la primera película que producía el recién creado ICAIC después del triunfo de la Revolución. Era, en cierta forma, una obra más de la Revolución y tenía que alcanzar un nivel aceptable, sobre todo, si se tiene en cuenta que el argumento de esa película trata directamente de la revolución. Eso ya implicaba un alto grado de responsabilidad. Y la situación se agravaba porque era también mi primera película y yo carecía en absoluto de experiencia en ese tipo de producciones. Ahora puedo revelar, por ejem-

---

[11] Silvia Oroz, ob. cit., págs. 56-57.

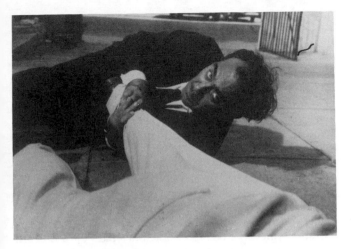

Las doce sillas. Enrique Santisteban

plo, que yo nunca había asistido a la filmación de una película de largometraje, a pesar de que había estudiado en una academia cinematográfica. Nos vimos metidos, de pronto, en esa situación delicada y teníamos mucho miedo de que después nos fueran a acusar de malversar celuloide. Creo que ese aspecto de responsabilidad nos obligó a *jugar al seguro* y a mantenernos en un plano demasiado sobrio, para no arriesgar demasiado. Eso, en fin de cuentas, es una solución de compromiso y los resultados nunca pueden ser extraordinarios.

Por eso, después tenía necesidad de hacer una película que no implicara un tan alto grado de responsabilidad, es decir, una especie de divertimento. Eso nos permitiría una mayor libertad, una mayor audacia y, claro, un mayor placer en el trabajo[12].

---

12 Edmundo Desnoes, «Habla un director», rotograbado de *Revolución*, La Habana, 8 de enero, 1963, págs. centrales.

«Cumbite» (1964)

Me cuesta trabajo volver a ver *Cumbite* completa. Sólo consigo ver algunos pedacitos... Es una película que no está lograda, que no siento como una expresión personal. Está hecha de oficio. Me parece que mi situación particular, en aquel momento, no era para hacer un filme.

Después de *Las doce sillas,* que fue un éxito, me quedé un poco vacío. Había logrado el *status* de director de cine y me veía compulsado a hacer una película tras otra. Antes de la Revolución estaba lleno de ideas y hacía todo tipo de esfuerzos por concretar un filme, a pesar de que no existían condiciones para ello. En cambio ahora, que era posible realizar los proyectos, no tenía ideas. Las de antes de la Revolución estaban viejas en ese momento. Tenía que encontrar una readaptación... Esas cosas suelen pasar: no había previsto el éxito de *Las doce sillas* y sentía que en la próxima película debía mantener por lo menos el mismo nivel de calidad. Eso me resultaba difícil, porque había hecho aquélla con tanta libertad que era imposible rescatar ese espíritu. Otra vez sentí el peso de la responsabilidad. Se me había creado un bache.

Hice muchas cosas durante los años posteriores al triunfo de la Revolución. En el trabajo estaba disperso, había querido asumir demasiadas tareas al mismo tiempo y necesitaba reacondicionarme; mi vida personal también estaba complicada.

En esas circunstancias tropecé con una adaptación de Onelio Jorge Cardoso de la novela haitiana *Los gobernadores del rocío*, de Jacques Roumain. Era una especie de *Romeo y Julieta* en una aldea de Haití, con una serie de complicaciones sociales. Siempre me sentí fascinado por el mundo de los haitianos y pensé que ese filme me permitía tener una experiencia con el mis-

Cumbite. Lorenzo Louiz, Marta Evans

mo. No fue una película que yo reclamara, sino que me cayó en las manos. La hice sin estar apasionado por ella. (...)

Tanto en el guión como en el trabajo del filme queda demasiado fuerte lo literario. La novela tiene un lenguaje poético-literario estilísticamente logrado, que no pude limpiar lo suficiente al adaptarla. No logré rescatar la autenticidad de la manera de hablar de los haitianos, sencillamente porque no era mi cultura. No conseguí manejar eso con la necesaria soltura: veía las cosas como alguien que está afuera. Ése es el grave problema[13].

---

[13] Silvia Oroz, ob. cit., págs. 78-79.

Cuando no hay posibilidades de solucionar en la práctica algunas cosas, ciertas personas comienzan a actuar de una manera puramente formal. Separan los verdaderos objetivos de las formalidades, se preocupan de los requisitos externos sin resolver lo fundamental. Entonces prolifera la burocracia. Al intentar solucionar mis problemas domésticos comenzó mi convivencia con la burocracia. Llegó un momento en que me sentí tan agobiado que tenía deseos de ajusticiar a un burócrata. Había acumulado demasiados estados de violencia reprimida. Los problemas cotidianos se sumaban y me sentía irritado, hasta que una noche voy a ver una filmación de Manuel Octavio Gómez y me encuentro con Héctor García Mesa, que también se estaba quejando. Comenzamos a bromear sobre las situaciones que se nos presentaban y de ahí surgió *La muerte de un burócrata*. La idea se produjo instantáneamente. Digamos que fue una iluminación.

Así como después de *Historias de la Revolución* me había inclinado a otro tema de la lucha clandestina, hasta que sentí que era *Las doce sillas* lo que tenía que hacer, aquí sucedió lo mismo y cambié *Una pelea cubana contra los demonios* por una comedia.

La decisión de hacer esa película fue una psicoterapia increíble: me permitió desviar la violencia que estaba sintiendo y encauzarla en un filme. Continuaba mis trámites domésticos, iba a determinadas oficinas, me enfrentaba con empleados burócratas y perdía mucho tiempo, pero de alguna manera me enriquecía: llevaba una libretica de apuntes donde anotaba situaciones, comportamientos, datos. Mis diligencias se convirtieron en un trabajo de pesquisa que resultó interesantísimo y comencé a enfrentar la situación con gran sentido del humor[14].

---

[14] Silvia Oroz, ob. cit., págs. 92-94.

La muerte de un burócrata

Todo el mundo occidental contemporáneo ha crecido bajo la influencia del cine norteamericano, y sabemos que existen realmente dos cines norteamericanos: uno muy vulgar, muy comercial y muy pornográfico, pero también otro que puede reconocerse como un gran cine. (...)

Los tributos de *La muerte de un burócrata* a ese cine fueron apareciendo espontáneamente mientras hacíamos el guión. Tratábamos de resolver muchas situaciones apelando a referencias de filmes que nos eran bien conocidos. Por ejemplo: situaciones como aquella que recuerda a Laurel y Hardy, en la cual todo se desata a partir de un conflicto insignificante que va creciendo progresivamente. Había tantos puntos de referencia de ese tipo que pensamos que sería mejor hacer nuestra película con el estilo de esos comediantes[15].

---

[15] Martha Ansara, «Tomás Gutiérrez Alea. Film Director», *Cinema Papers*, Melbourne, mayo-junio de 1981, pág. 140. Traducción de J. A. E.

La muerte, aunque no se ve, es uno de los personajes principales de la película. ¿Por qué? Por dos razones puramente técnicas: en primer lugar, porque me interesaba colocar el problema del protagonista, cuyo obstáculo va a ser la burocracia, en una situación extrema. Es decir, el espectador debe estar convencido de que el protagonista tiene que vencer ese obstáculo *de todas maneras*. Podía acudirse a una de esas clásicas situaciones de «vida o muerte», pero dimos con esta que se circunscribe sólo a la segunda premisa y que nos pareció que podía ser igualmente apremiante. Además, caía de lleno en una atmósfera de absurdo que hallaba su natural correspondencia en el absurdo burocrático. En segundo lugar, la muerte —otra muerte— también juega un papel importante en la conclusión del conflicto: es la consecuencia inmediata de la violencia a que es llevado el protagonista. Por eso aparece como una constante, impregnándolo todo[16].

«MEMORIAS DEL SUBDESARROLLO» (1968)

(Cuando) leí la novela de Edmundo Desnoes (...) supe que quería trabajar en ella. *Memorias del subdesarrollo* fue escrita de un tirón, es muy corta, pero está llena de sugerencias y es inquietante. A primera vista no era nada cinematográfica, está narrada en primera persona y son todas impresiones subjetivas. Cuando llamé a Desnoes para proponerle trabajar juntos se sorprendió: le parecía una idea loca. Yo sentía que por ahí se podía hacer algo interesante.

(...)

---

[16] Tomás Gutiérrez Alea, «A propósito de *La muerte de un burócrata*», respuestas a un cuestionario de la revista *Revolución et/and culture*, en Ambrosio Fornet, *Alea, una retrospectiva crítica*, La Habana, Editorial Letras Cubanas, 1987, pág. 83.

Memorias del subdesarrollo. Sergio Corrieri

El trabajo en sí fue muy fluido, aparecieron cosas nuevas que después Desnoes reescribió como capítulos e incorporó a la novela. Hay también algunas ideas que yo tenía desde hacía mucho tiempo anotadas en papelitos, estaba loco por ponerlas en algún filme sin saber en cuál. De repente me doy cuenta que aquí está la oportunidad. Eso es una gran felicidad.

(...)

Una era la escena en el ICAIC cuando el director amigo de Sergio ve pedazos de escenas eróticas de diversas películas. Quería hacer algunas consideraciones éticas a partir de los cortes que la Comisión Revisora de Censura de la época de Batista hacía. Ese organismo desapareció con la Revolución y las latas con los cortes las heredamos nosotros. Era muy cómico ver ese material porque eran escenas que los censores cortaron de más de una copia, a veces de seis copias, y que eran pegadas una tras otra, de manera que cuando se proyectaban se veía una reiteración de la misma acción y se perdía la carga erótica por la cual habían sido separadas del filme. (...) El efecto que eso produce es cómico, ridículo y no tiene nada que ver con su significación erótica original.

(...)

La película no es un reflejo exacto del guión que escribimos. Teníamos escenas desarrolladas al máximo, otras que estaban sólo apuntadas en líneas generales; pero lo más importante es que teníamos una estructura abierta con escenas que podíamos manejar, quitar, agregar. Eso también permite que se siga trabajando en el guión durante el rodaje y el montaje.

(...)

Con el telescopio que está en el balcón de Sergio ocurrió una cosa interesante. Él usa ese objeto para ver la ciudad desde lejos y desde arriba. El telescopio acaba por convertirse en un símbolo del personaje. Eso se nos ocurrió cuando elegimos el apartamento del personaje. Es un símbolo tan importante para la descripción de alguien que no se integra a la vida social, que está viendo La Habana como si la ciudad fuera un objeto de laboratorio, que no sé cómo no lo descubrimos o lo inventamos antes. Una estructura abierta permite manejar estas cosas con gran libertad, sin ataduras[17].

En el guión Sergio se suicidaba, y al comienzo de la película ya estaba muerto; la historia sería un *racconto*. Al decidir un final abierto y sin la muerte del protagonista, no sabíamos cómo terminar el filme. La solución apareció en la mesa de edición. Decidimos poner imágenes que habían sido filmadas en la ciudad de noche para un reportaje sobre un desfile militar y que nunca se habían utilizado. Entre ese material había una toma extraordinaria —la cámara se mueve a lo largo de una calle con soldados y tanques al amanecer—, que tenía la

---

[17] Silvia Oroz, ob. cit., págs. 111-116.

tensión que precisaba para el final. Esas imágenes documentales las intercalamos con Sergio en el clímax de su angustia, solo en su apartamento y moviéndose entre esas cuatro paredes como si estuviera en una trampa. Paralelamente, en la calle, el pueblo se prepara para contrarrestar una posible invasión.

El guión comenzaba con el diario de Sergio cuando la policía lo encuentra muerto porque se había suicidado. Cuando comenzamos a filmar nos dimos cuenta de que no era necesario llevar las cosas a tal punto. Era más dramático que viviera en esa agonía y dejar abierta la posibilidad de un suicidio, de un infarto u otro fin. Esa solución era menos complaciente para el espectador, por lo que fue mejor comenzar el filme con la cronología de los hechos: la primera secuencia es entonces la despedida de la familia que se va a Miami[18].

Memorias del subdesarrollo reúne una serie de influencias que estaban dispersas en mí, cosas que había venido haciendo mías y que habían llegado por distintos caminos. Ahí están el documento, el cine más espontáneo, el reportaje, la ficción y, dentro de ésta, dramas realistas desarrollados convencionalmente, aunque la estructura de la película no sea convencional. He dicho muchas veces que *Memorias...* no pretende ser objetiva, no afirma nada; hace una proposición y ofrece al mismo tiempo numerosos elementos que sirven para discutir esa proposición. Aunque sabía lo que estaba haciendo, puedo asegurar que no tenía una noción, una formulación conceptual de los métodos que estaba empleando para hacerlo[19].

---

[18] Silvia Oroz, ob. cit., págs. 123-124.
[19] Entrevista con el autor.

Una pelea cubana contra los demonios.
José Antonio Rodríguez

«UNA PELEA CUBANA CONTRA LOS DEMONIOS» (1971)

El trabajo que emprendí con Miguel Barnet después de *Cumbite* era muy preparatorio. Había elegido el tema, pero necesitaba un tiempo de maduración, de investigación y de asentamiento de la idea. La dejé para retomarla antes de *Memorias...,* y también en ese momento la postergué.

(...)

Todos los procesos de esta película fueron demorados y trabajosos; el de guión fue difícil y agónico, porque era un tema que tenía muchas posibilidades, muchas vertientes, por lo que se presentaba difícil de apresar. Esa complejidad nos obstaculizó todo el trabajo: eso se refleja en la película.

(...)

Las escenas estaban definidas, el problema es que el guión estructuralmente no cuajó nunca. Era demasiado ambicioso, con muchos niveles de significación. Además, pienso, contrariamente que al principio, que tanto tiempo madurando la idea es contraproducente y hace que se recargue excesivamente de significados el guión. El proceso en sí era arduo, pero interesantísimo, porque era un tema que nos motivaba mucho, pero nunca conseguimos estructurarlo plenamente. Todo eso pasa a la película[20].

(El personaje principal) es un cura mezquino de esa época (1659, Cuba), con una aspiración de poder: (...) esa necesidad de trascender que lo ha llevado a su autodestrucción.

La oposición a ese personaje es Juan Contreras, quien en cierta medida (...) representa la contrapartida, que encarna una necesidad de verdad, de felicidad, de amor, que no lo puede conseguir en esa sociedad.

Contreras señala ese choque de puntos de vista frente a la realidad; señala que frente a las aberraciones siempre hay una fuerza capaz de hallar una *coherencia* (...) con la realidad[21].

Tenemos por un lado el contrabando, en el cual participa, de manera principal, Juan Contreras, y por otro lado, el traslado de la villa a tierras alejadas de la costa propuesto por el cura para librar a la población del contacto con herejes e impedir el contrabando. Ambos hechos pueden ser apreciados en su significación económica: el primero como una necesidad vital de los pobladores; el segundo, como un suicidio económico. Pero también tienen una significación *espiritual:* el primero es el trato con herejes, la corrupción moral; el segundo es la purificación, la salvación...

---

[20] Silvia Oroz, ob. cit., págs. 132-133.
[21] Roberto Branly, «*Una pelea cubana contra los demonios.* Nueva película cubana», *Granma,* La Habana, 24 de marzo, 1972, pág. 4.

(Hemos colocado) el acento en su significación espiritual, y hemos planteado los conflictos morales que surgen a partir de actitudes vitales o aberrantes: la búsqueda de la felicidad, el amor, la búsqueda de la verdad, pero también el fanatismo, la represión...

La aventura de Juan Contreras comienza realmente cuando él mismo se lanza a la destrucción de su mundo. (...) Lo irracional de las pretensiones del cura lo ha ayudado a comprender su propia irracionalidad: la especie de paraíso privado que pretende alcanzar en vida no es posible porque no es verdadero, porque no es más que una pobre (y torpe) imitación; de la misma manera que la salvación que ofrece el cura tampoco es posible porque tampoco es verdadera *(el falso profeta...)*. Ambas aspiraciones son aberrantes. Son consecuencia de deformaciones culturales. Ambas están basadas en falsos valores, en convenciones que engendran represiones. Ambas pretenden desconocer que la verdadera vida, «la que corre silenciosa bajo la aparente máscara»[22], es la única fuente auténtica de redención. (...)

Así, la visita de Juan Contreras al prostíbulo, su encuentro con la pitonisa y su muerte para el mundo anterior, constituye el núcleo de la obra. Ha tenido que buscar dentro de él mismo aquellas fuerzas que no han sido desarrolladas, aquellas potencialidades vitales contenidas, frenadas por esquemas culturales, convencionalismos, falsos valores... Ha descendido al infierno que hay dentro de él, al *caos biológico* donde se contiene su verdadera vida, y allí se encontrará desarmado, desnudo de todo lo que lo protegía y se enfrentará a sí mismo. Desde allí va a regresar con una fuerza nueva, destructiva en tanto que rompe esquemas, arranca máscaras y aspira a la verdad, y constructiva en tanto que se traduce en un acto de afirmación de la vida verdadera[23].

---

[22] José Martí. (Nota de T. G. A.)

[23] Tomás Gutiérrez Alea, *A propósito de «Una pelea cubana contra los demonios»*, abril de 1972. Del original del autor.

Sé que *(Una pelea cubana contra los demonios)* es una película que no funciona, ¡pero cómo siento que no funcione! Hay otras películas que también han sido poco felices, cuando pudieron ser bonitas, muy agradables, pero no se trataba de cosas que yo necesitara tanto expresar. Pero ésta sí. Ésta expresaba inquietudes que eran, son y serán muy profundas en mí, y lamento mucho no haber logrado la comunicación. Esos temas me siguieron dando vueltas. *La última cena* es un producto de esa frustración. Allí hay muchas cosas que en *Una pelea...* quedaron diluidas y mal precisadas. Creo que cometí muchos errores en la estructura dramática. Está demasiado cargada de significaciones, llena de ambigüedades, repleta de cabos sueltos, muy exasperada la tensión desde el principio... En fin, un desastre, pero le tengo mucho amor a esa película[24].

«La última cena» (1976)

(La idea de *La última cena* surgió) a partir de la lectura de *El Ingenio,* un estudio exhaustivo sobre la industria azucarera en nuestra historia, de Manuel Moreno Fraginals. La anécdota, muy simple, que pasó a ser el argumento del filme, aparece escuetamente narrada en el libro. Ese episodio es un hecho real; se concentra en el personaje del conde de Casa Bayona, que reunió un Jueves Santo a doce esclavos, les lavó los pies y los invitó a cenar. Era ésa la forma de tranquilizar su conciencia. Durante la cena el conde trata de convencer a los esclavos de que deben aceptar el dolor con resignación porque así fue dispuesto por Dios. Cuando al otro día nadie acude a trabajar, el mayoral desata la represión y el conde se quita la máscara. Comienza una rebe-

---

24 Reynaldo Escobar Casas, «Cara a cara con Tomás Gutiérrez Alea», *Cuba Internacional,* La Habana, mayo de 1987, pág. 70.

lión que será brutalmente aniquilada. Los doce esclavos que se sentaron a la mesa del señor tendrán un castigo ejemplar: son perseguidos y decapitados. Sólo uno conseguirá escapar[25].

La cena que (el conde) ofrece a sus esclavos no pretende ser una despedida sino más bien todo lo contrario, una reafirmación ritual de su condición de amo y, al mismo tiempo, un intento desesperado por resolver la contradicción entre sus intereses materiales y espirituales. En dos palabras: el conde quiere seguir disfrutando de sus privilegios, pero con la conciencia limpia.

(...)

La secuencia de la cena constituye el núcleo estructural del filme y es en ella donde se presentan los esclavos como personajes, no como simple masa cuya presencia sirve de fondo a una acción principal. Allí se revela la personalidad particular y muy específica de algunos esclavos entre los que interpretan momentáneamente el papel de apóstoles. Se trata de cuestionar la imagen tan tergiversada y prejuiciada que del esclavo construyó la cultura del opresor, y también de revelar en toda su complejidad los disímiles y contradictorios aspectos de su personalidad, provocados por su situación de sojuzgamiento social: su espíritu supersticioso y al mismo tiempo realista, su mezcla de desconfianza y credulidad...

Para rescatar esa imagen de los esclavos fue necesario llevar a cabo un trabajo riguroso. Era preciso excitar la imaginación y al mismo tiempo evitar que se desbordara. El hecho es que no podíamos apoyarnos en documentos de primera mano sobre el mundo de los esclavos sencillamente porque no existen. Ese mundo siempre ha sido visto *desde afuera*.

(...)

Está claro que no es nuestra intención negar el espí-

[25] Silvia Oroz, ob. cit., pág. 154.

La última cena. Nelson Villagra

ritu cristiano como parte de nuestra herencia cultural. Por otro lado, la religión en sí misma no es el gran problema, ya que no es una causa sino una consecuencia de las insuficiencias históricas del proceso de desarrollo social. Morirá, si muere, de muerte natural el día en que en ese proceso se alcance plenamente el dominio del hombre sobre sí mismo, sobre las relaciones sociales y sobre la naturaleza. Sin embargo, el sentimiento religioso, en tanto no desaparezcan completamente las causas que lo engendran, es terco y engañoso y no es nada extraño que se nos aparezca *donde menos se piensa* con disfraz mundano. Eso ya es más preocupante porque es más difícil de descubrir. Pero el verdadero problema es la instrumentalización que se hace del espíritu religioso (bajo cualquier forma en que éste se presente) para someter a una clase y en todo caso para frenar el desarrollo de la sociedad. Si en diversas ocasiones hemos hecho alusión a ese problema partiendo de la religión católica es porque es la que tenemos más a mano y porque en sus relaciones con la burguesía se pueden mostrar más claramente esos mecanismos que conducen irremediablemente a la hipocresía y a la mentira... Sebastián, el negro que se ha rebelado, se apropia del lenguaje del conde para dirigirse también a los otros: el mito del cuerpo de la Verdad con la cabeza de la Mentira es la respuesta que hará tambalearse los valores y los *razonamientos* que el conde presenta como inconmovibles[26].

En *Una pelea cubana contra los demonios* está también presente la aberrante deformación que puede sufrir la religión —y por extensión, cualquier ideología que por circunstancias particulares derive hacia el fanatismo que engendra demonios y energúmenos—, y está también, por supuesto, la lucha que sostiene el hombre frente a tales monstruos. Creo, por lo tanto, que existe una consecuencia lógica e histórica entre ambos filmes. *La última cena* recoge la experiencia de *Una pelea...,* experiencia que no fue del todo afortunada... Pienso que la confrontación con el público es lo que determina, en última instancia, el alcance y significación de una obra, independientemente de sus buenos propósitos. De ahí el esfuerzo por expresarme en *La última cena* con un lenguaje todo lo diáfano y sencillo que permiten la complejidad y la densidad del tema tratado, y de ahí esa evidente distancia que la separa —en lo que al tratamiento del tema se refiere— de *Una pelea...*[27]

La conversación que se produce durante la cena dura unos cincuenta minutos. Revela toda la hipocresía inconsciente del conde. También muestra cómo el espíritu religioso de cualquier tipo de ideología puede ser

---

26 Tomás Gutiérrez Alea, *La historia como arma. Pasado y futuro.* Para una presentación de *La última cena* en Duke University, EE.UU., septiembre de 1986. Del original del autor.

27 Respuestas a un cuestionario del periódico *El Nacional,* Caracas, 12 de abril, 1978. Del original de T. G. A.

manipulado para servir a los intereses más materiales del hombre. Las ideas más altruistas pueden ser mal utilizadas para hacer el mayor daño posible. Este hombre sinceramente religioso está movido por una sensación real de caridad, pero cuando se encuentra atrapado en una crisis seria no reacciona como un verdadero católico, sino como un vicioso explotador de hombres[28].

Cada parte de la película, lo mismo que cada *movimiento* de una sonata orgánicamente construida, tiene no sólo un *tempo* característico, sino también un color particular que funciona como *tónica* dentro de una gama determinada y que debe ser consecuente con las necesidades expresivas que plantea el tema mismo a todo lo largo de su desarrollo. Ese fue el criterio que sirvió como punto de partida para la realización del trabajo fotográfico.

Claro que éste se desarrolló en toda su complejidad más allá de esta simple idea. Lo importante es que no se trataba de un criterio arbitrario ni volcado hacia una concepción meramente *decorativa,* sino que, en tanto que tenía su fundamento en una demanda de coherencia, de organicidad expresiva, no se convirtió en una coyunda, sino que, al contrario, dio pie para desarrollar un trabajo consecuente y rico en soluciones imaginativas. Más bien funcionó como una especie de *malla protectora*, lo cual proporcionaba siempre una sensación de seguridad ante los más arriesgados vuelos de la imaginación[29].

La última cena es una película metafórica basada en acontecimientos reales, narrados a modo de parábola. Aborda el hecho de cómo puede ser manipulada una ideología que representa valores éticos —la ideología cristiana, por ejemplo. Todas las ideologías religiosas y

---

[28] Alvina Ruprecht, «Entrevista con Tomás Gutiérrez Alea», *Ottawa Revue*, 25-31 de enero, 1979. Del original en castellano de T. G. A.

[29] Respuestas a un cuestionario de Gerardo Chijona, octubre de 1977. Del original de T. G. A.

políticas representan valores morales, éticos, pero una ideología puede ser distorsionada desde el momento en que empieza a volverse contra sí misma. Es lo que ocurre en *La última cena* con la religión católica y con los principios del catolicismo.

(...)

En todas partes hay gente que asume el comunismo como una religión. Creo que es funesto, porque así empiezan a distorsionar su sentido. Quizás *La última cena* contribuya a hacerlo entender[30].

«LOS SOBREVIVIENTES» (1978)

La última cena y *Los sobrevivientes* fueron concebidas dentro de un mismo período de tiempo y fueron presentadas como proyectos simultáneamente. Esto quizás permite descubrir analogías involuntarias en el tratamiento de ambas. El hecho de que la cena se desarrolle en un mismo lugar y que la casa de *Los sobrevivientes* marque los límites en que éstos se mueven, es una coincidencia fortuita. *La última cena* puede considerarse una parábola narrada en un estilo llano y realista. *Los sobrevivientes,* en tanto puede considerarse una metáfora, se plantea efectivamente como un universo «concentrado», un microcosmos, y está narrada en un estilo que, sin dejar de ser realista en última instancia, es más distanciado y se mueve progresivamente en un plano de alusiones y correspondencias.

(...)

No puede decirse que *Los sobrevivientes* esté basada en el cuento de Antonio Benítez Rojo *Estatuas sepultadas*. Simplemente, la lectura de ese cuento mucho tiempo antes, fijó un tono, una atmósfera, lo suficientemente inquietante como para desencadenar una serie de ideas

---

[30] Martha Ansara, ob. cit., pág. 209.

Los sobrevivientes. Vicente Revuelta, José M. Rodríguez

que finalmente se concretaron en un argumento que, como se puede apreciar, apenas tiene nada que ver con el cuento original. De todas maneras, el trabajo con Benítez en la elaboración del guión tenía ya en el cuento un punto de apoyo y de referencia que nos facilitó alcanzar un clima de comprensión y colaboración muy dinámicas[31].

Los sobrevivientes se relaciona bastante con casi todas las películas que he hecho. Por ejemplo, en cuanto a tónica, a manera de contar, con *Las doce sillas* y también con *Memorias del subdesarrollo,* por la temática que introduce: la supervivencia de hábitos burgueses en medio de la Revolución. Éste *(Los sobrevivientes),* por otra parte, es un filme histórico, pero de una historia

---

31 Respuestas a un cuestionario de Daniel Díaz Torres, 25 de enero, 1979. Del original de T. G. A.

inmediata, reciente, a diferencia de *La última cena* y *Una pelea cubana contra los demonios*.

Los sobrevivientes vendría a cerrar, de esta forma, ese ciclo de cine histórico en el que me metí hace algunos años y que empieza en el siglo XVII *(Una pelea cubana contra los demonios)*, sigue después con el siglo XVIII *(La última cena)* y ahora termina con los primeros años de la Revolución. En la casa de *Los sobrevivientes* se pueden ver los cuadros de los antepasados de la familia. Allí está el conde de *La última cena* y está el personaje que se llamaba Evaristo en *Una pelea cubana contra los demonios*. Es la herencia de esta familia[32].

Si vemos a esta familia como un estado en miniatura, notamos que se mueve de una forma capitalista de organización social hacia otra feudalista. Al principio, los sirvientes permanecen con ellos voluntariamente, porque la familia les protege de lo que afuera parece un caos. No obstante, llega el momento en que la familia carece de recursos suficientes para pagarles, y los sirvientes empiezan a tener deseos de largarse, pues reciben noticias de los cambios que se operan en el mundo exterior. Entonces sus amos no les permiten irse, y el estado se revierte en una especie de organización feudal, pero siempre con la idea fija de preservar sus ceremonias burguesas.

El período feudal dura apenas un corto plazo de tiempo, porque su estructura es muy frágil. Es necesario actuar con mano de hierro para que los sirvientes no escapen. Ocurre una especie de *golpe de estado* dentro de la familia, gracias al cual uno de cuyos miembros —el hombre de negocios— toma el poder, y crea un estado fascista-esclavista. Todos los sirvientes se convierten en esclavos, y son obligados a producir (tienen vacas, huertos y jardines sembrados de vegetales), en aras de satisfacer las necesidades de la familia.

---

[32] Romualdo Santos, «Los sobrevivientes», *Bohemia,* La Habana, 12 de enero, 1979, pág. 25.

La situación se prolonga demasiado, quizás diez años, hasta hacerse insoportable. Llega el momento en que los esclavos, por cuenta propia, toman conciencia de su situación, y se rebelan. Son exterminados; no queda uno solo de ellos. Esa noche toda la familia se sienta a comer, pero no hay ni un alma que les sirva. Convenciéndose mutuamente de que deben empezar a trabajar, se organizan en una especie de comunidad primitiva, pero conservan los candelabros, la vajilla china; todas las ceremonias burguesas.

Cuando comienzan a trabajar, los integrantes más viejos de la familia no saben cómo o sencillamente no están dispuestos a hacerlo. Confían en los más jóvenes, a los cuales la situación se les hace insoportable. En medio de la muerte de los animales y de la pérdida de las cosechas, sienten por primera vez lo que significa pasar hambre. Suceden muchas cosas, pero al final se ven arrastrados a un estado de salvajismo absoluto. Es así que empiezan a comerse unos a otros, manteniendo invariablemente el servicio con manteles y cubiertos de plata[33].

El otro día estaba revisando algunos papeles (...) y vi en qué medida fui demasiado conservador con esta idea, cómo traté de que tuviera una lógica muy racional dentro de su propio absurdo y eso genera un final previsible. En esas notas había cosas que a primera vista pueden parecer locas, pero que me dan la medida de que si hubiera ido por otro camino habría logrado algo más fuerte, más inquietante.

Entre esas cosas locas había desarrollado la posibilidad de que alguien tuviera un hijo monstruo, porque las relaciones se redujeron a casarse entre parientes. Eso agregaría otro significado: el aislamiento impide un desa-

---

33 Julianne Burton, «Individual Fulfilment and Collective Achievement», *Cineaste,* Nueva York, vol. VIII, núm. 1, verano de 1977, página 15. Traducción de J. A. E.

rrollo orgánico pleno, con lo que se enriquecería el planteamiento. Esas notas se quedaron en el aire, nunca las llegué a desarrollar, porque fui por otro camino. Viéndolas ahora me quedé con un sentimiento de frustración, porque debía haber ensayado esa otra posibilidad[34].

«HASTA CIERTO PUNTO» (1983)

(Con este filme) una de nuestras intenciones era plantear que el machismo no sólo se refiere a la relación hombre-mujer, sino que es algo mucho más complejo, que es una actitud ante la vida en la que intervienen otros factores. (...) Pretendíamos tocar otros puntos que me parecen fundamentales, que están en el centro mismo de la película, como es mostrar un contraste entre intelectuales y obreros de nuestra sociedad.

(...)

Creo que está marcada por la búsqueda teórica que realicé en el libro *Dialéctica del espectador,* la cual se refiere a la intención de ahondar o de hacer una síntesis o yuxtaposición de niveles de lectura dentro de la película. Este intento ya aparece en otras películas (mías) y pensé que en ésta podríamos avanzar algo en la medida en que íbamos a utilizar el vídeo, que le da otra textura a la imagen. El vídeo también nos permitiría grabar mucho porque no hay problemas de gastos de película y, por lo tanto, teníamos una gran libertad en toda la parte testimonial.

(...)

La historia sale un poco de esa canción vasca que dice en versos muy sencillos: «Si yo quisiera, podría cortarle las alas y sería mía; pero entonces no podría volar, y lo que yo amo es el pájaro.» Es decir, ahí, en esos cuatro o cinco versos, está dada la contradicción de una

---

34 Silvia Oroz, ob. cit., pág. 179.

Hasta cierto punto. Mirta Ibarra, Óscar Álvarez

situación de amor que implica una necesidad de pose-
sión de una persona por otra, y al mismo tiempo una
necesidad de que esas personas no dejen de ser lo que
son, porque uno ama una cosa por lo que es. Cuando la
posees, le cortas las alas, deja de ser lo que es. Y me
parece que el equilibrio entre esas dos tendencias que
se producen en una relación amorosa es lo que le permite alcanzar la plenitud. Si realmente amas a una persona, la amas por lo que es, no por lo que tú le impones
a ella. Es una contradicción que sirve para mucho..., no
sólo en las relaciones entre el hombre y la mujer.
Primero, es todo lo contrario de lo que puede ser una
relación machista; es una relación que se da, justamente, a partir de una situación de libertad, no de sometimiento, y de participación de dos personas colocadas
al mismo nivel[35].

[35] Senel Paz, «*Hasta cierto punto:* continuidad y ruptura», *Areíto,*

Tanto el guionista como el director están de acuerdo con que quieren hacer una película sobre el machismo en un medio obrero, pero las motivaciones de cada uno son diferentes. El segundo es un personaje esquemático, con ideas preconcebidas, no es flexible ante la realidad. Consolidó algunos esquemas mentales y le cuesta romperlos, le resulta mas fácil mutilar la realidad para que se adapte a sus preconceptos. En cambio, el guionista es más flexible, pretende entender la realidad: mientras que el director quiere usarla para hacer su película, el escritor pretende usar el cine para penetrarla. Esas dos actitudes polarizan cualquier conflicto y era a partir de las discusiones de esos personajes que estaba el eje del filme. El director haría una película con la discusión convencional sobre el machismo, la aceptada por todos. El guionista haría una en que esa discusión fuera más amplia y llegara a cuestionar las relaciones del poder[36].

«CARTAS DEL PARQUE» (1987)

Siempre tuve la ambición de hacer un filme con una simple historia de amor, una historia en la que se debatieran sentimientos encontrados, en la que la razón se viera obligada a ocupar su lugar frente al misterio, frente a la vida.

Ahora que me han caído tantos años encima, no quise dejar pasar la oportunidad de recrearme en una historia semejante: a falta de otros méritos, tengo el tiempo vivido, lo cual quizás nos ayude a disfrutar plenamente y a comprender mejor, desde una prudente distancia, ese universo de flores, postales iluminadas, corazones bordados y ángeles caprichosos que no siem-

Nueva York, vol. X, núm. 37, 1984, en Ambrosio Fornet, ob. cit., páginas 261, 263 y 267-268.
[36] Silvia Oroz, ob. cit., pág. 189.

Cartas del parque. Víctor Laplace

pre aciertan cuando disparan sus flechas; un universo fascinante en el que la poesía se muestra como común denominador entre las maravillosas invenciones que le han ido dando su fisonomía al siglo y el gran descubrimiento de todos los tiempos: el amor[37].

«FRESA Y CHOCOLATE» (1993)

(El proyecto de *Fresa y chocolate*) surge de una inspiración. Así he hecho todas las películas. Ves una cosa, lees algo, y empiezas a pensar. Así fue con el cuento de Senel (Paz)[38] *El lobo, el bosque y el hombre nuevo* (...)

---

[37] Para una presentación de *Cartas del parque,* 27 de octubre, 1987. Del original de T. G. A.
[38] Senel Paz es el guionista de *Fresa y chocolate,* guión que escribió a partir del mencionado cuento, Premio Juan Rulfo 1990.

Pero no fue a partir de (la) resonancia del texto que decidí hacer la película. Yo leí el manuscrito antes de que fuera premiado, antes de que se conociera. Terminé de leerlo y me dije: aquí hay una película redondita...

(...)

Entre *(Memorias del subdesarrollo)* y este proyecto la conexión es evidente. No sólo la crisis de conciencia de los personajes es un punto de contacto. Estoy seguro de que hay muchos más, algunos conscientemente planteados. Diría que el contexto en que se desarrolla *Fresa y chocolate* tiene mucho que ver con el de *Memorias*... Hubo momentos, en las conversaciones iniciales en torno al guión, en que la presencia de esta película era muy fuerte.

(...)

Ha sido un trabajo muy colectivo, realmente, muy con todos, pero lo que más satisfacción me ha dado es el trabajo con Juan Carlos (Tabío), porque es una situación muy difícil esa de compartir la dirección de una película. Es difícil. Y puede originar muchas tensiones. Y aquí estábamos ante el hecho de que teníamos que hacerlo. ¿La respuesta de él?: la mejor. A partir de una amistad, se entrega a una película que no era de él y empieza a trabajar y a hacer esfuerzos que yo no quisiera estar en su piel. Porque eso de hacer una película para que le guste a otra persona debe ponerlo a uno con mucha tensión. Creo que en todo sentido ha sido una gran experiencia, no sólo desde el punto de vista del trabajo, de la película, sino también desde el punto de vista humano[39].

¿Existe alguna relación entre la polémica que sostuviste con Néstor Almendros sobre Mauvaise conduite (Conducta impropia) *y* Fresa y chocolate*?*

Sí. Este filme es una manera de continuar aquella

***

[39] Rebeca Chávez, «Tomás Gutiérrez Alea: entrevista filmada», *La Gaceta de Cuba,* La Habana, septiembre-octubre de 1993, págs. 8-11.

Fresa y chocolate. Jorge Perugorría, Vladimir Cruz

polémica, pero por otros medios: haciendo una película. Me parece que es lo más justo: abordar con franqueza el problema de la homosexualidad y mostrar que en nuestro país luchamos por resolverlo. Más allá de eso, y como dijo el propio Senel Paz en una entrevista, el tema de la película no es tanto el homosexualismo como la intolerancia.

El hecho de que el homosexualismo te sirva para discutir el tema de la intolerancia significa que hay una relación muy estrecha entre una cosa y la otra.

Es verdad. Mira: cuando me enteré de la muerte de Néstor, te confieso que me afectó. Me afectó porque, a pesar de la discusión sobre *Mauvaise conduite (Conducta impropia)* y de todo lo demás, es imposible romper lazos afectivos que existieron hace 30 ó 40 años. Me habría encantado que él viera esta película..., quizás para seguir discutiendo... Pero él era un destinatario especial de esta película.

Néstor no fue sólo un amigo mío como otros muchos: lo fue en un sentido muy particular. Cuando llegó a Cuba, en un momento en el que ya yo había definido mi vocación por el cine, él tenía una especie de fanatismo de espectador: quería ver todas las películas —lo cual a mí nunca me ha pasado—, y me arrastró, me hizo descubrir cosas que yo no había visto, me abrió nuevos campos. Recuerdo que íbamos juntos al cine constantemente y teníamos que sentarnos en las primeras filas, porque él —no sé si sería a causa de la miopía o qué— necesitaba llenarse por completo de la pantalla. Esa etapa fue muy importante para mi formación artística y también para mi formación política. Parecería un contrasentido, pero la primera persona que me habló seriamente del marxismo como algo que era necesario asumir fue Néstor. Por eso me costaba tanto trabajo entender su posición: creo que no jugó limpio en la etapa posterior a su salida de Cuba. Eso me molesta mucho, tal vez porque conservo el recuerdo afectivo de aquellos primeros momentos[40].

«GUANTANAMERA» (1995)

La crisis de combustible obliga a establecer medidas de ahorro muy rigurosas. En una reunión de alto nivel en el sector de las funerarias, se toma la decisión de establecer una norma de consumo muy estricta. De acuerdo con un estimado de la cantidad de entierros que se han llevado a cabo en los últimos años se determinará la cantidad de gasolina que se le asigna a cada funeraria. Se acuerda también que los carros funerarios sólo podrán operar en las provincias a que pertenecen y en caso de que haya que trasladar al cadáver de una provincia a otra, la funeraria de la primera solamente

---

[40] Entrevista con el autor.

Guantanamera. Conchita Brando, Raúl Eguren

podrá llevarlo hasta la funeraria más próxima de la siguiente, donde será cambiado de carro para que pueda seguir su destino.

Se da el caso de una vieja nacida y criada en Guantánamo, pero que fue trasladada por sus padres a La Habana cuando era muy jovencita. En Guantánamo dejó a su primer y gran amor, del cual nunca ha podido olvidarse completamente, de manera que ha permanecido soltera toda la vida. Un buen día la invitan a su ciudad natal para recibir la medalla de la Cultura Guantanamera, pues había alcanzado cierta fama como cantante. En medio de la ceremonia de imposición de la medalla encuentra de nuevo a su viejo amor, viejo ahora igual que ella, pero también atrapado en el recuerdo de aquella relación de adolescentes. Se enciende nuevamente la llama del amor y, cuando están a punto de unirse por primera vez, ella muere de felicidad en los brazos de él.

Es necesario enterrarla en La Habana, casi al otro extremo de la isla, de modo que se pondrá en práctica por primera vez el sistema de relevo de carros fúnebres entre las provincias que tienen que atravesar. Durante todo el trayecto será acompañada por su sobrina, cuyo esposo es el funcionario encargado de la funeraria de Guantánamo y precisamente el que propuso el sistema de relevo como solución al problema del racionamiento de combustible. También irá, por supuesto, el viejo enamorado.

Durante el largo recorrido se producen numerosas peripecias.

El funcionario sólo está interesado en que todo se lleve a cabo con la máxima eficiencia para demostrar las ventajas del sistema de relevo. Su esposa, la sobrina de la vieja, no ha sido feliz en su matrimonio, se ha sometido a un marido autoritario y mediocre y ahora, a los cuarenta años, se da cuenta de que la vida se le ha ido en nada. El viejo enamorado percibe la insensibilidad del marido y la frustración de la sobrina. También a él se le fue la vida por no haber salvado el amor cuando aún estaba a tiempo de hacerlo.

Un chófer de una rastra que hace también el camino hacia La Habana coincide varias veces con el cortejo fúnebre y poco a poco establece una relación de simpatía con la sobrina. El viejo enamorado, con sus reflexiones sobre la vida y la muerte y sobre el amor, ayuda a la sobrina a tomar una decisión drástica: al final del viaje, ella rompe con el esposo y se dispone a comenzar una vida distinta, en la que el amor ha de jugar un papel preponderante[41].

Al principio del Mundo, Oloffin llamó a Odduá y le pidió que hiciera la vida. Odduá llamó a Obbatalá y le dijo: «Ya está hecho el Mundo. Está hecho lo bueno y

---

[41] Sinopsis de *Guantanamera,* escrita por T. G. A. Del archivo del autor.

lo malo, lo bonito y lo feo, lo chiquito y lo grande; ahora hay que hacer el Hombre y la Mujer.» Obbatalá hizo el Hombre y la Mujer y les dio la vida; Obbatalá hizo la vida, pero se le olvidó hacer la muerte.

Pasaban los años, y los hombres y las mujeres cada vez se ponían más viejos, pero no se morían. Eran tan viejos que tenían que reunirse como hormigas para cargar entre todos una ramita de árbol, y se necesitaban más de ochenta brazos para cortar una calabaza. La tierra se llenó de viejos que tenían miles de años y que seguían mandando de acuerdo con sus viejas leyes; los jóvenes tenían que obedecerlos y cargar con ellos, porque siempre habían sido así las cosas. Pero cada día, la carga se hacía más pesada.

Tanto clamaron los más jóvenes que un día sus clamores llegaron a oídos de Oloffin, y Oloffin vio que el Mundo no era tan bueno como él lo había planeado. Y vio que el dolor se había adueñado de la tierra, y que todo se iba cayendo bajo el peso de tanto tiempo, y sintió que él también estaba viejo y cansado para volver a empezar lo que tan mal le había salido.

Entonces Oloffin le dijo a Odduá que llamara a Ikú para que se encargara del asunto. Y vio Ikú que había que acabar con el tiempo en que la gente no moría.

Hizo Ikú entonces que lloviera y lloviera sobre la tierra durante treinta días y treinta noches sin parar, y todo fue quedando bajo el agua. Sólo los niños y los más jóvenes pudieron treparse en los árboles gigantes y subir a las montañas más altas. Y la tierra entera se convirtió en un gran río sin orillas.

Hasta que en la mañana del día treinta y uno paró de llover. Los jóvenes vieron entonces que la tierra estaba más limpia y más bella, y corrieron a darle gracias a Ikú, porque había acabado con la inmortalidad[42].

Durante los siglos XVI, XVII y XVIII fue Bayamo el más importante centro de contrabando de la isla (de Cuba), con lo que burlaban las restricciones y

---

[42] Tomado de *Guantanamera*. Leyenda del fin de la inmortalidad, escrita por T. G. A. a partir de seculares creencias yorubás, e incluida en la banda sonora de la película en la voz de José Antonio Rodríguez.

el férreo monopolio comercial de la Corona española, que frenaba la vida económica. El comercio ilegal con los ingleses, franceses y holandeses era practicado por todos los vecinos, incluso las autoridades administrativas, militares y eclesiásticas. El trato con los protestantes, tildados de herejes, no sólo influyó en la vida económica, sino también en la cultura y en la política. Mediante esa vía, penetraron los libros prohibidos por la Inquisición y las ideas liberales y progresistas de la época. No por casualidad fue Bayamo la primera ciudad que se levantó en armas contra el dominio colonial que frenaba el desarrollo del país[43].

FINA.— Me cansé de no pensar; si me equivoco, nada: me equivoqué, como todo el mundo. Ah, y el programa de radio ese que me viene proponiendo José Luis, lo voy a aceptar.

ADOLFO.— ¿Un programa de radio? ¿Y de orientación a la juventud? ¡Coño, si tú no fuiste capaz ni de educar a tu propia hija!

Fina.— Estoy harta de que me eches a mí la culpa de que Niurka se fuera para Miami.

ADOLFO.— ¿Ah, no? ¿Y quién la dejaba juntarse con to' esos pelú'os intelectualoides; quién la dejaba oír to' esas cancioncitas; quién le permitía leer las revistas de perestroika y to' esa mierda? (...) ¿Cómo coño no se iba a ir si le envenenaste el cerebro?

FINA.— ¡Ay, Adolfo! Niurka no se fue ni por las amistades, ni por las canciones ni por lo que leía. Se fue porque todo eso lo tenía que hacer a escondidas, y estaba hasta aquí (señalándose el cuello) ya[44].

---

[43] Tomado de *Guantanamera*. Al paso de la comitiva fúnebre por la ciudad de Bayamo, cruzan una plaza en la que el historiador de la ciudad está hablando —de ahí estas palabras— ante un grupo de turistas extranjeros. Los datos en cuestión son rigurosamente ciertos.

[44] Tomado de *Guantanamera*. Diálogo entre Georgina y su esposo, el burócrata (Adolfo).

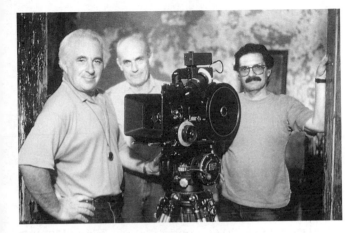

Guantanamera. Hans Burmann, Tomás Gutiérrez Alea
y Juan Carlos Tabío

Habíamos empezado (Eliseo Alberto y T. G. A.) con
una información anecdótica acerca de cómo estaba
resolviéndose el problema de los entierros que tenían
que atravesar más de una provincia. Nos pareció que
era tan absurdo que podía dar lugar a muchas peripecias. Efectivamente, comenzamos a imaginar peripecias,
y cuando digo peripecias me refiero a situaciones en las
que el absurdo iba un poco más lejos. Fue en esta fase
que comenzaron a delinearse algunos personajes. Por
fuerza tenía que aparecer el personaje del burócrata,
que era quien conducía toda esa operación.

Después pensamos en introducir una historia que
justificara el viaje del cortejo fúnebre entre un punto en
el extremo oriental del país y otro en la región occidental. Se nos ocurrió que podría ser el caso de alguien que
hubiese estado ausente de Guantánamo durante cincuenta años, y que regresaba solamente para recibir los
honores de una medalla, lo cual está muy dentro del

clima cultural nuestro. Lo de Guantánamo fue para aprovechar la popularidad de la canción y porque ya habíamos decidido que estuviese en aquella zona el punto de partida del viaje.

Lo que quedó en aquella primera versión fue una comedia ligera, de enredos, sin mucha consistencia, muy superficial; en todo caso un divertimento. Ese guión, escrito por Eliseo Alberto, fue entregado a la dirección del Instituto Cubano del Arte e Industria Cinematográficos (ICAIC) el 18 de abril de 1986.

Como en aquel momento surgieron otros proyectos que me interesaron más, conversé con Juan Carlos Tabío para proponerle que hiciera *Guantanamera,* pero él estaba muy ocupado en otras cosas y declinó hacerlo. Así fue que la dejamos dormir unos cuantos años.

Al calor del éxito de *Fresa y chocolate* desenterramos el proyecto a propuesta de Enrique González Macho, distribuidor en España de esa película. González Macho se asoció entonces con Gerardo Herrero y con Walter Achugar, quienes buscaron otras fuentes de financiamiento y se dispusieron a producir *Guantanamera.* Les gustó la idea de volver a utilizar a por lo menos dos protagonistas de *Fresa y chocolate,* Pichi (Jorge Perugorría) y Mirta (Ibarra).

A Tabío y a mí nos pareció que el proyecto podía funcionar, pero estábamos seguros de que era necesario actualizarlo y, sobre todo, profundizarlo en todas sus potencialidades como expresión de las circunstancias que estamos viviendo actualmente en Cuba.

El proyecto demandaba ese trabajo, pues algunos personajes eran muy débiles, apenas pretextos para contar una anécdota; no tenían consistencia suficiente como para que por sí mismos pudieran impulsar una historia. Concretamente, el personaje de la sobrina estaba muy débil, muy neutro, muy desvaído, sin ninguna consistencia, totalmente pasivo. En la versión final es un personaje que tiene un punto de giro, un conflicto, y toma una determinación; se convierte en un personaje activo. Me parece que funcionó muy bien y que, a partir de ahí, se enriquecieron todos los demás personajes, las situaciones y la película misma, que invita entonces a la reflexión como no lograba hacer aquel primer proyecto.

Ahora pienso que el hecho de que se toquen algunos problemas relacionados con las circunstancias que estamos viviendo estimula más a una reflexión sobre nuestra realidad.

Hay algo clave aquí: la película es, en el fondo, un documental. El absurdo contenido en la película es un absurdo que no está violentando una realidad, sino que forma parte de esa realidad. La realidad se comporta de una manera absurda; lo único que hacemos nosotros es constatar eso y, a partir de ahí, desarrollar una historia, pero sobre una base realista, casi documental, que al mismo tiempo es absurda. Esa idea está resumida en una frase de Virgilio Piñera: «Si Kafka hubiese nacido en Cuba, en vez de haber sido un escritor del absurdo habría sido un escritor costumbrista.»

Toda esta situación kafkiana que se desarrolla en la película es, aunque parezca asombroso, una situación verosímil, tratada de una manera realista.

Guantanamera no es *Fresa y chocolate*. Los personajes encarnados en *Guantanamera* por dos de los protagonistas de *Fresa y chocolate* (Jorge Perugorría y Mirta Ibarra) son completamente opuestos: el que en *Fresa y chocolate* era un homosexual ahora es un camionero supermacho, que tiene una novia en cada pueblo, como un marinero en cada puerto, y la Nancy de esa película, de quien podía decirse que era un personaje *de dudosa moralidad*, que de alguna manera se ha prostituido y se mueve entre el contrabando y la bolsa negra, es ahora una exprofesora de economía casada con un funcionario tronado, con quien se acomodó a una vida rutinaria.

Guantanamera es lo que en inglés se conoce por *road movie;* una película de carretera... De su anécdota se desprende la posibilidad de recorrer Cuba, porque la

La muerte de un burócrata. Salvador Wood, Silvia Planas

premisa es un entierro que tiene que ir de un extremo a otro del país. Creo que eso está ciertamente aprovechado en el filme. Pero la mayoría de los planos interiores, los de las funerarias, por ejemplo, no están filmados en los lugares donde se rodaban las escenas en exteriores, sino en municipios cercanos a La Habana como Bauta, San Antonio de los Baños y Güira de Melena. Se filmaron exteriores en Guantánamo, en Camagüey y en Santa Clara, por ejemplo.

Hay dos factores que vinculan a *Guantanamera* con *La muerte de un burócrata*. En primer lugar, el asunto de la burocracia; el absurdo que desencadena la burocracia. En segundo lugar, el tema de la muerte. Un asunto burocrático que se hace más absurdo porque está relacionado con una situación extrema, que es la muerte. En ambas películas se trata de eso. No hay que olvidar, sin embargo, que han pasado casi treinta años; el estilo ha cambiado. La manera de afrontar el tema en *La muerte de un burócrata* era abiertamente cómico, casi farsesco, en un tono paródico; en cambio, *Guantanamera* está tratada de un modo más realista. Pero hay dos o tres momentos en esta última que son explícitamente cómicos, como la escena del cruce de ferrocarril, lo de la parturienta en el taxi... cosas que están al borde del astracán.

El personaje de la muerte representado por una hermosa niña de bucles rubios fue idea de Eliseo Alberto; ya estaba en el primer guión. Ese personaje tenía entonces mucho texto, hablaba demasiado, se hacía tediosa, de modo que lo que hicimos Tabío y yo fue dejarla en esa presencia silenciosa que ahora tiene[45].

¿CÓMO JUZGO MIS PELÍCULAS?

Siempre le preguntan a uno si está satisfecho con lo que ha hecho. Pienso que en el caso de otras actividades artísticas, esa pregunta no es muy interesante. En definitiva, si uno no está satisfecho con un poema, no lo publica. Y lo mismo pasa con un cuadro o con una obra musical. Después de todo, son cosas que uno ha hecho y de las que debe responder plenamente. Pero en el cine hay una pequeña diferencia: el cine no lo hace uno. El cine se hace, se va haciendo, y uno trata de conducir esa actividad, esa especie de mecanismo que se desencadena en un momento determinado y que va naciendo y creciendo, a veces no exactamente como uno quisiera. Por eso en cine esa pregunta es más legítima: ¿está uno satisfecho con lo que ha resultado de esa mezcla de voluntad, azar, actividad colectiva, medios materiales, alternativas climáticas, etcétera, etcétera?[46].

---

45 Entrevista con el autor.
46 *La Gaceta de Cuba*, La Habana, 1966, antologada en *Rueda de prensa*, en Ambrosio Fornet, ob. cit., págs. 324-325.

De mi trabajo como cineasta creo que las dos obras más logradas son *Memorias del subdesarrollo* y *La última cena*. Me parece que ambas expresan mejor las inquietudes que me mueven y que necesito comunicar. *La última cena* tiene, además, la belleza de una fotografía excepcional de Mario García Joya. El trabajo con él no sólo garantiza imágenes de gran calidad, sino una colaboración mucho más rica y profunda, que abarca todos los demás aspectos y niveles de la obra, desde el núcleo conceptual hasta el acabado, el diseño definitivo[47].

Al advertir que en cada proyecto era como si tomara una nueva dirección, me pregunté ¿qué pasa?, ¿es qué no tengo una personalidad definida? Luego me dí cuenta de que no, de que en esas variaciones estaba justamente una definición de mi personalidad. Sin embargo, cuando las analizas todas, encuentras rasgos comunes, constantes, que están en la base de mi obra. Llegó un momento en el cual me percaté del asunto, y ya en una película como *Los sobrevivientes* aparecen reminiscencias conscientes de filmes anteriores: llamémosles citas. Del mismo modo que en *La muerte de un burócrata* aparecen evidentes referencias a autores como Laurel y Hardy, las hay en *Los sobrevivientes,* pero aquí remitidas a mis propias películas. Ahí está *La última cena,* en los personajes de los criados y en las ceremonias típicas de las comidas familiares. Estas citas de mí mismo no suelen ser deliberadas: surgen espontáneamente, igual que ciertas ideas que salen en cualquier conversación y uno se da cuenta de que la trascienden; de que pueden servir en otras situaciones.

En *Cartas del parque,* por ejemplo, hay un diálogo entre la prostituta y el escribano, mientras están jugando a la lotería, en el cual ellos hablan de las similitudes de

---

47 Tomás Gutiérrez Alea, «No siempre fui cineasta», en Ambrosio Fornet, ob. cit., pág. 32.

sus respectivos oficios, porque los dos «viven del amor». Dice él: «Las putas son los pájaros de esta selva», y ella comenta, luego de escuchar el alboroto de varias mozas en otra mesa: «Sí; las cacatúas y las tiñosas.» «Pero también pueden ser las palomas», vuelve a decir él, acariciándola. Ese diálogo está, exactamente con las mismas palabras, en *Una pelea cubana contra los demonios*.

Las fijaciones van definiéndose en el transcurso de la vida. Lo cierto es que no me animo a profundizar en eso; no me resulta fácil. De lo que sí estoy seguro es de que tres películas tan diferentes como *La muerte de un burócrata, Memorias del subdesarrollo* y *Una pelea cubana contra los demonios* tienen cosas en común. Yo las reconozco como mías: veo en ellas aspectos de mi personalidad que he querido expresar, sin haber tenido que disfrazarme. No podría decir lo mismo de *Cumbite;* es una película que nunca llegué a hacer totalmente mía.

En *Historias de la Revolución* los problemas de orden práctico eran tan grandes, que todo lo demás —incluso la creación misma— quedaba en segundo plano. No pude disfrutarla. Tenía idea de lo que debía hacer, pero anduve bastante a ciegas: se me iba de las manos. Pero está menos separada de mí que *Cumbite*.

Contigo en la distancia (un melodrama de 27 minutos que hizo para la televisión mexicana) viene a ser una prolongación de *Cartas del parque.* Es el mismo tono. Ambas son una especie de exorcismo. Nunca he dejado de tener conciencia de mi responsabilidad como creador de algo que —es el caso de una película— puede influir sobre tanta gente, y ese sentido de la responsabilidad, más que abrumador, llega a veces a ser paralizante. Como decía Babel: «El respeto al pueblo me ha hecho enmudecer.» Cuesta demasiado trabajo echar a un lado ese compromiso para hacer algo simplemente porque quieras hacerlo. Entonces, realizar dos películas puramente sentimentales, sin ningún compromiso político, fue una liberación. Para mí fueron dos experiencias muy positivas, muy refrescantes[48].

EL OFICIO DEL DIRECTOR DE CINE

La gente no tiene idea de lo que es la profesión de director. Alguien una vez me dijo, y se me reveló como una gran verdad, que las tensiones que un filme generan en un director se comparan únicamente a las de un piloto de caza supersónico en medio de una batalla llena de obstáculos. Es una tensión que desgasta muchísimo[49].

Sacar las cámaras a la calle y captar trozos de (la) realidad (...) puede ser una legítima manera de hacer cine en cualquier circunstancia, pero sólo a condición de que el cineasta sepa escoger aquellos aspectos que, en íntima relación unos con otros, ofrezcan una imagen significativa de la realidad que le sirve de punto de partida y de llegada. El cineasta, inmerso en una realidad compleja cuyo profundo significado no salta a la vista, si quiere expresarla coherentemente y al mismo tiempo responder a las exigencias que la propia realidad le hace, debe ir armado, no solamente de cámara y sensibilidad, sino también de criterios sólidos en el plano teórico para poder interpretarla y transmitir su imagen con riqueza y autenticidad[50].

Es indudable que abundan los ejemplos de acontecimientos humanos que, cuando se producen ante la cámara, adquieren un nuevo valor porque se convierten en un documento vivo, en un documento único. Ahora bien, cuando se dice que en el *free cinema* sólo cuenta el acontecimiento espontáneo, en cuyo desarrollo no

---

48 Entrevista con el autor.
49 Silvia Oroz, ob. cit., pág. 192.
50 Tomás Gutiérrez Alea, *Dialéctica del espectador,* La Habana, Ediciones Unión, 1982, pág. 8.

Tomás Gutiérrez Alea con la realizadora Sara Gómez durante
el rodaje de *Cumbite*

interviene para nada la mano del realizador; que éste funciona solamente como un espectador imparcial que deja fijado en el celuloide lo que ve y lo que escucha, y que, por lo tanto, su posición es de absoluta objetividad frente al acontecimiento, estamos olvidando algunos detalles importantes que forman parte del proceso de realización de la película. En primer lugar, estamos olvidando que detrás de la cámara se supone que haya un artista. Ya que un artista es un creador y toda creación implica por lo menos una modificación de los elementos con los cuales actúa, es de suponer que si es un artista (un creador en funciones de tal) el que utiliza los mencionados medios de reproducción del acontecimiento real y espontáneo, éste, al ser fijado en el celuloide, ha recibido de alguna manera la huella del realizador. Es decir, vemos el acontecimiento *desde* el punto de vista del realizador. El documento que resulta de la captación de un hecho real y espontáneo por la cámara, como todo lo que forma parte de la realidad, es un material que puede ser tratado artísticamente. Además del valor documental que tiene en sí, puede resultar un valioso material para ser utilizado en la creación de una obra de arte, puede alcanzar un valor artístico. De hecho, los mejores ejemplos de *free cinema* han sufrido una elaboración artística, aunque los materiales utilizados hayan sido trozos de la realidad espontánea. Vemos, por lo tanto, aquellos aspectos de la realidad que el artista ha seleccionado para mostrarlos. Y a partir de ese instante, percibimos una posición definida del realizador frente a la realidad que está tratando artísticamente. No se trata ya de un testigo pasivo, sino de un actor más (no del acontecimiento en sí, sino de la obra resultante). Y un actor no es imparcial, toma partido. No es objetivo. Ve las cosas desde un punto de vista definido y particular. Y esto es así porque la realidad es cambiante, presenta infinitos aspectos y contiene en sí antecedentes múltiples que es preciso conocer para formarse una idea cabal de la misma. Materialmente es imposible conocerlos todos. Pero podemos llegar a un mayor acercamiento si contamos con suficientes elementos claves que definen en su esencia la realidad. Frente al realizador se presenta un problema: debe seleccionar de esa realidad aquellos elementos más característicos (si seguimos preocupados por la verdad) y ofrecerlos de manera que produzcan una imagen verídica de esa realidad cambiante y llena de contradicciones. En esa selección queda definida la posición del artista ante la realidad[51].

Cada película en sí misma es una crisis que convulsiona a todos los que están participando en ella; porque no se trata de fabricar un producto en serie, donde se sabe el resultado y lo que se precisa para obtenerlo, sino que es algo inusual. Por lo tanto, cada cosa que se quiere para hacer un filme parece en primera instancia un disparate[52].

A mí me parece inseparable el trabajo del director de, por lo menos, alguna participación en el guión. Sé que en una industria de cine desarrollado se suele compartimentar cada una de las etapas del trabajo, ya que se forma una cadena industrial: el guionista hace el guión solo, el director sólo lo dirige y el editor lo edita solo. Aquí, entre nosotros, el director suele participar en todas las etapas y dirigir todas las fases del trabajo. Es decir, que asume la responsabilidad máxima de la película[53].

Una vez que está definido el guión, los diálogos son provisionales, en el sentido que dan una base para enriquecerlos en el momento de la filmación. No ensayo toda la película: escojo del guión aquellas escenas claves en las que el personaje queda definido de la ma-

---

[51] Tomás Gutiérrez Alea, «El *Free Cinema* y la objetividad», *Cine cubano*, La Habana, núm. 4, 1961, en Ambrosio Fornet, ob. cit., páginas 286-288.

[52] Silvia Oroz, ob. cit., pág. 97.

[53] Senel Paz, ob. cit., pág. 266.

Filmación de *La última cena*. Nelson Villagra
y Tomás Gutiérrez Alea

nera más completa, pero siempre dejo mucho margen
para la improvisación, dándole al actor sólo la situación.
Así salen cosas nuevas que es posible incorporar. Se
trata de un juego dialéctico entre planificación y espontaneidad[54].

Uno debe tener bien claro lo que quiere, que es fundamentalmente tener claro el tono en el cual está tratando de hacer la película. Vamos a servirnos de la música para poner un ejemplo: si estás contando una historia que sea el equivalente, digamos, de un *adagio,*
explotas los planos largos, en busca de un ritmo repo-
sado, que a su vez tendrá determinada atmósfera ya
construida en el set de acuerdo con el mismo propósito... Para mí el tono es importantísimo, porque si no el

---

[54] Ángel Rivero, «Titón: un cine de ideas», *Revolución y Cultura,* La
Habana, marzo de 1985, pág. 31.

director va allí y, claro, la cámara puede situarse en un infinito número de lugares, y siempre vas a sacar algo, pero entonces no hay creatividad[55].

La improvisación es un recurso aprovechable en determinadas circunstancias y gracias a ella se logran a veces cosas de extraordinario interés. Pero sólo puede realizarse con cierta comodidad cuando se trabaja con un equipo ligero, sin la presión de un horario muy estrecho. Además, como regla general, siento que debemos ir a la filmación con todos los problemas bien resueltos, y siempre con la disposición de aprovechar hasta el último momento cualquier idea que surja y que pueda enriquecer y hasta modificar la puesta en escena. No se garantizan los resultados si se pretende confiarlo todo al espíritu de improvisación[56].

El trabajo más vital del director durante la filmación debe ser sobre los actores, es decir, sobre el elemento humano. Los problemas técnicos y mecánicos de la puesta en escena deben estar resueltos en principio. El noventa por ciento de su tiempo debe dedicarlo el director a los actores[57].

Sacarle el máximo de partido a una situación es una pretensión que cuando la logro me pongo muy contento. Me interesa crear, en una misma situación, muchas posibilidades de reacción. Eso es un ejemplo de economía en el plano expresivo. No hay un derroche de medios para decir algo, sino que se dice mucho con pocos medios[58].

El momento más excitante, sin dudas, es el de los rodajes, porque es cuando estás en interacción con el grupo de personas que hacen la película: actores, fotógrafo, iluminadores, vestuaristas... Es como tener los hilos de

55 Entrevista con el autor.
56 Tomás Gutiérrez Alea, «Doce notas para *Las doce sillas*», *Cine cubano,* año 2, núm. 6, 1962, en Ambrosio Fornet, ob. cit., pág. 65.
57 *Ibíd.*, pág. 63.
58 Silvia Oroz, ob. cit., pág. 62.

todos ellos conectados en tí, teniendo en cuenta que de la lucidez de tus ideas depende su complicidad —a fin de cuentas, son coautores del filme— y su disposición para hacer las cosas en el sentido deseado por tí. En la fase del guión uno trabaja casi siempre solo o en compañía del guionista. No sé si será porque no soy un escritor de raza, pero para mí esa etapa no es excitante; supongo que lo sea para el escritor cuando, por ejemplo, encuentra la palabra exacta o la idea justa.

La edición y la sonorización pueden también ser labores tremendamente creativas; en ocasiones, incluso más que los propios rodajes. Hay quienes se plantean ése como el momento de la verdad, pero no es mi caso. El guión no se termina hasta el último minuto: poco a poco, se va cubriendo de capas...[59].

Ahora, cuál es el momento decisivo, no se puede decir, todos son importantes. Del guión, lo primordial es la estructura dramática; a la hora de filmar, la realización, y en el montaje el ritmo y también la estructura. Pero (...) si esta última no funciona desde el guión, en el momento del rodaje puede suceder una cosa muy curiosa, y es que obtengas las escenas más extraordinarias, pero después de montarlas te des cuenta de que no hay estructura dramática que las sostenga y la película se cae. Esto es muy difícil de salvar en la edición[60].

Yo soy un director de cine, pero no en el sentido de una persona que pone en escena algo que le dan. A mí sólo me interesa el cine para decir cosas que me preocupan. Jamás haría el oficio del director al cual se le entrega un guión para que lo ejecute. Lo que ocurre es que las ideas que tengo adentro las encuentro en una novela o en un argumento que ya existe. Hay muchas cosas con las que me gustaría hacer películas,

---

[59] Entrevista con el autor.
[60] Vivian Gamoneda León, «Las cartas de Gutiérrez Alea», *Revolución y Cultura,* diciembre de 1988, pág. 22.

Una pelea cubana contra los demonios. Tomás Gutiérrez Alea
con el director de fotografía Mario García Joya (Mayito)

pero sé que no me alcanzará el tiempo para hacerlas
todas.

(...)

Sin alardes de modestia, me atrevo a confesar que la
fotografía es un arte que no domino, ni la música tampoco. Ya se sabe que no soy actor. Pero de cada una de
estas cosas poseo un lenguaje que me permite comuni-
carme con el director de fotografía, el sonidista, el compositor y los actores. Me limito a provocarlos. Hay quien
prefiere hacerlo mal con tal de que otro no le reste méritos en los créditos. Yo prefiero asumir el papel de coor-
dinador de todos los factores y permitir que todos desa-
rrollen al máximo su creatividad.

(...)

*¿Cómo son sus relaciones con el resto del personal
que interviene en la filmación: los técnicos, los auxilia-
res, etc.?*

Cada uno tiene un jefe de grupo y casi no tengo que

darles órdenes directamente. Al principio, la falta de experiencia me llevaba a ser muy tolerante. Luego me di cuenta de que si no mantenía la disciplina podía poner en peligro el clima propicio que requiere este tipo de trabajo. Y es que ocurre que las filmaciones son muy aburridas para el que no tiene nada que hacer. Cuando los constructores de andamios y los iluminadores terminan sus quehaceres, pueden convertirse en elementos disociadores y ponerse a conversar mientras los actores ensayan. Yo no sólo les pido que hagan silencio, sino que trato de interesarlos en la trama y que sirvan de público a los actores. Eso lo pido como parte del trabajo de cada cual, porque el actor necesita que lo escuchen, que lo miren, que lo atiendan. Luego les pregunto cómo vieron la escena y escucho sus criterios[61].

Me intereso particularmente en los detalles. Pienso que la obra está formada en última instancia por una acumulación de detalles y que la riqueza de éstos nos permite apreciarla en distintos niveles. Sin embargo, hay a veces la tendencia a descuidarlos porque, es cierto, un detalle aislado no tiene una gran importancia. (Pero) cada detalle es de gran importancia porque nunca se presenta aislado, y el conjunto de detalles da la medida exacta de lo que se quiere lograr. A veces el más insignificante objeto de utilería puede desvirtuar completamente el carácter de la escena que se está desarrollando[62].

Recuerdo que la primera vez que vi *La Belle et la bête (La bella y la bestia)* recibí una gran decepción ante aquellas puertas que se movían solas y aquellas ramas que se apartaban sin ser tocadas. No podía evitar ver al hombre tirando del hilo. Aunque no salía nunca en la pantalla, yo lo veía sin remedio. Eso rebaja la poesía, rompe el encantamiento. Muchos años después vol-

[61] Reynaldo Escobar Casas, ob. cit., págs. 70-71.
[62] Tomás Gutiérrez Alea, «Doce notas para *Las doce sillas*», en Ambrosio Fornet, ob. cit., pág. 67.

Rodaje de *Fresa y chocolate*. Tomás Gutiérrez Alea,
Juan Carlos Tabío y Jorge Perugorría

ví a verla y me pareció menos terrible la sensación porque acepté sin remilgos las convenciones que se me
pedía que aceptara, pero aun así no soy amigo de ningún artificio[63].

Teniendo en cuenta que La última cena *es el primer
largometraje que usted hizo en colores, me pregunto si
ha encontrado diferencias significativas entre la película de este tipo y la de blanco y negro.*

Lo que he encontrado es que la película en colores
ofrece más ventajas. Resulta más interesante filmar en
colores en la medida en que se haga con prudencia.
Creo que logramos un extraordinario trabajo con el color en *La última cena* gracias, en primer lugar, al director de fotografía, Mario García Joya, cuyo primer
largometraje de ficción en esas funciones había sido

[63] Reynaldo Escobar Casas, ob. cit., pág. 71.

Una pelea cubana contra los demonios. La última cena es el segundo, pero también ha filmado numerosos documentales. Hizo un análisis del color muy preciso y minucioso. Después de todo, el color es un recurso expresivo más, y como tal me atrae poderosamente[64].

El hecho de que ahora suela filmarse en colores no significa que sea mejor que en blanco y negro. Una película como *Elephant Man (El hombre elefante)* está fuera de lo habitual y, sin embargo, se ve muy bien. A mí me atrae particularmente el uso que hace Tarkovski de la combinación del color con el blanco y negro. Si lo comparas con la pintura, te das cuenta de que el carboncillo y el dibujo no han sido desechados aun en medio del avance de todas las técnicas para el empleo de los colores.

Durante mucho tiempo, cada vez que me enfrentaba a una nueva película, lo hacía como si fuese la primera. Descubría el cine. Sentía que no tenía sistematizada toda la experiencia anterior. Sólo al empezar a trabajar me daba cuenta de que sí, de que podía darle solución a muchos problemas valiéndome de lo aprendido anteriormente. Eso tiene una ventaja, pero también una desventaja. Si bien por un lado te da confianza, por el otro conspira contra la capacidad de asombro, contra la posibilidad de que el ejercicio creativo no se convierta en una rutina. Lo mejor es combinar la experiencia, que te permite salvar los obstáculos comunes, con ese sentimiento de aventura y de descubrimiento propio de la creación, que para mí es lo más interesante. El momento propiamente creativo siempre se presenta como algo nuevo que es necesario empezar a entender. Es cuando de veras —y eso sí lo tengo bien aprendido— ocurren cosas apasionantes, y llegas incluso a sentirlo físicamen-

[64] Julianne Burton, *Individual Fulfilment and Collective Achievement,* pág. 11.

te. Para llegar hasta ahí hay que trabajar mucho y muy seguido[65].

Las posibilidades expresivas del espectáculo cinematográfico son inagotables. Dar con ellas y realizarlas es cosa de poetas[66].

GUIÓN Y DRAMATURGIA

Vamos a partir del supuesto o de la convicción de que existen «nuevos conflictos» determinados por las nuevas formas de vida (adelantos técnicos y científicos, transformaciones sociales, nuevas necesidades, nueva moral...). Y también de que existe un desarrollo casi vertiginoso de los recursos expresivos con que cuenta el cine, es decir, del lenguaje cinematográfico. Aparte del hecho de que conviven diversas corrientes y de que algunas van hacia una depuración o profundización de hallazgos más o menos conocidos desde hace tiempo, mientras que otras no hacen más que repetir viejas fórmulas sin mayor interés, hay algo que es evidente: no sólo en cine, sino también en literatura, en pintura, en música, el lenguaje tiende a desarrollarse en el sentido de una atomización, de una aparente desarticulación (en realidad se trata de una articulación distinta), una fragmentación que hace de él un vehículo más apropiado para expresar el nuevo ritmo de vida. Pero en el cine no están aún suficientemente explotadas las posibilidades que en este sentido ha apuntado la pintura, por ejemplo, con el *collage* (desde Schwitters hasta cierto pop...). El montaje «intelectual» de Eisenstein hoy se desarrolla a partir de Resnais y ofrece nuevos recursos para apresar una realidad elusiva, compleja, cambiante...[67].

---

65 Entrevista con el autor.
66 Tomás Gutiérrez Alea, *Dialéctica del espectador*, pág. 9.
67 «Encuesta sobre el cine cubano», *La Gaceta de Cuba*, La Habana, agosto-septiembre de 1966, pág. 6.

Antonio Saura, Tomás Gutiérrez Alea, Antón Eceiza
y Carlos Saura

En líneas generales, la clave está en mantener un equilibrio entre lo previsible, lo planificable y lo espontáneo. Mantengo siempre una actitud flexible y abierta para poder modificar la concepción original e integrar cosas nuevas que siempre enriquecen. Salir a filmar es una aventura donde encontramos cosas imprevisibles a las que hay que darles solución. Digamos que somos como un trapecista que va a dar un salto mortal, pero que pone una red para amortiguar cualquier caída imprevisible y evitar males mayores. El guión es como esa red, porque en el peor de los casos siempre nos da un apoyo y contiene soluciones básicas sobre las cuales encontraremos otras mejores[68].

Hay quien se siente seguro con un guión de hierro donde aparecen uno a uno los planos, incluso con los

[68] Silvia Oroz, ob. cit., pág. 125.

DATE: 23, 4

Surname		P
First		O
Four		L
Letters		L

Initials	S

Card No.	q
Last	f
Four	8
Digits	S

Take your book to the self-issue machine in the reservations area. Follow the on-screen instructions to issue your book.

Check your receipt for the date that the book should be returned. It will be renewed automatically unless someone else has reserved the item. Check your library account through StarPlus.

If you have any problems with your account, please speak to a member of staff.

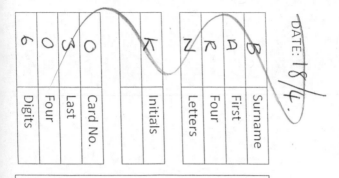

B	Surname
A	First
R	Four
N	Letters
K	Initials
O	Card No.
3	Last
O	Four
6	Digits

Take your book to the self-issue machine in the reservations area. Follow the on-screen instructions to issue your book.

Check your receipt for the date that the book should be returned. It will be renewed automatically unless someone else has reserved the item. Check your library account through Star*Plus*.

If you have any problems with your account, please speak to a member of staff.

encuadres dibujados para no equivocarse luego a la hora de colocar la cámara. Ese es un método que tiene la ventaja de comportarse como *muletas* que ayudan y que resultan una guía muy precisa, que si se sigue, no hace falta pensar mucho durante la filmación (suponiendo que se esté muy seguro del guión que se va a hacer); pero eso tiene la desventaja de que siempre existe la posibilidad de que surjan situaciones fortuitas y que el director no las acepte, no las incluya, porque eso rompería el equilibrio ya logrado y lo obligaría a modificar otras partes ya hechas o por hacer... Hay directores a quienes esta situación les produce un problema tan grande que prefieren dejar fuera la riqueza de la casualidad. Yo elijo lo contrario. Nunca tendré en mis manos un guión dibujadito, porque ni siquiera señalo los planos. Lo dejo abierto y trato, además, de no viciar mi apreciación, de forma que la solución última de una escena surja bajo la presión que ella misma sugiere. Desde luego, hay que tener previstos todos los problemas de producción para no perder tiempo, pero sobre la base de que cuando se empieza a filmar hay que aprovechar todo lo que las circunstancias vayan proponiendo.

(...)

Cuando filmaba *Una pelea cubana contra los demonios* pasó por la calle un borracho que venía hablándole a su perro en voz alta sobre la salvación eterna y el padre celestial. Era un borracho con inquietudes metafísicas y teológicas. Recuerdo que le decía en tono amenazante al pobre animal: «A aquel que no quiera comprender la salvación, se le hará comprender la salvación.» Ese encuentro fue completamente casual y le aportó muchísimo a la escena que teníamos prevista[69].

En un sentido muy general, (...) no hay dudas de que el peso cultural de nuestro cine está muy por debajo de

---

[69] Reynaldo Escobar Casas, ob. cit., págs. 69-70.

lo que hubiéramos querido. Y, por supuesto, muy por debajo también de lo que en ese sentido significa —para bien o para mal— la TV que *diariamente* penetra en los hogares de todos. O casi todos. Es evidente que nuestro cine padece de desnutrición y tal estado de cosas constituye una seria amenaza de vejez prematura.

En un sentido más específico, si entramos a analizar nuestros filmes en función del público, de lo que nuestro público desea ver, enseguida saltan a la vista los vacíos que no han podido llenarse en todos estos años.

Y de todo esto se tiene por responsable a la insuficiencia —por decirlo de alguna manera— de nuestra dramaturgia.

La dramaturgia no sólo responde a las mismas leyes generales del desarrollo de todos los fenómenos de la realidad, sino que extrae de ésta la materia prima necesaria para la elaboración de la obra dramática.

Un énfasis en el aspecto dramático de las leyes que rigen el desarrollo de todo acontecimiento puede arrojar una luz nueva sobre la realidad misma en que estamos inmersos y constituir así un instrumento eficaz para explorarla, para penetrarla y encontrar en ella los elementos que le dan vida, los rasgos esenciales que nos pueden conducir a una mayor comprensión y disfrute de la misma.

La realidad considerada en su sentido más amplio nos remite también específicamente a la historia y, dentro del mundo de la cultura, señaladamente a la literatura (novela y teatro principalmente). Esas resultan ser las fuentes más asequibles, las más cómodas para que el cineasta reelabore un material que ya ha alcanzado cierta resonancia y que ofrece además un cierto nivel de estructuración. No es despreciable el valor que pueden alcanzar las obras que provienen de tales fuentes. Sin embargo, la realidad más inmediata, la que se manifiesta a nuestro alrededor constantemente, que nos golpea día a día, la realidad en bruto, es la que ofrece la más rica materia para el cine. La dramaturgia cinematográfica se

Mirta Ibarra, Cachao y Tomás Gutiérrez Alea en Ciudad Juárez,
México, 1994

ha de nutrir principalmente de esa esfera de la realidad
si quiere mantener su originalidad y su frescura.

De manera que la realidad se nos ofrece con toda su
variedad y su riqueza y los cineastas y escritores —que
también forman parte de la realidad— tienen sus cámaras y sus máquinas de escribir. ¿Qué sucede entonces?
¿Por qué al cabo de más de 20 años no se ha desarrollado entre nosotros un ejército profesional de la dramaturgia capaz de alcanzar un nivel adecuado a nuestra demanda cultural? ¿Dónde están nuestros guionistas profesionales?

Hay que admitir sin rodeos que la profesión de guionista no existe, entre otras cosas, porque hasta ahora se
trata de un trabajo muy mal retribuido y que ofrece menos aliciente del que podría esperarse. Por muy atractivo que resulte el cine como medio de expresión, el
guionista casi nunca se siente realizado plenamente en

la obra terminada y con frecuencia se siente defraudado y hasta traicionado. La obra terminada pertenece al director, y si no existe una plena identificación entre director y guionista —como suele suceder—, este ha realizado un trabajo *para otro,* un trabajo que lo aliena en alguna medida. Claro que se debe intentar —y de hecho se logra a veces— que la obra sea un reflejo fiel de la colaboración de ambos autores y también del resto del equipo en alguna medida, pero esto no siempre es posible. Y como la última palabra siempre la dice el director, el riesgo que corre el guionista de sentirse simplemente utilizado y hasta mal utilizado, es un factor importante que hay que tomar en cuenta para explicarnos la falta de interés que existe por esa profesión. En realidad el riesgo es mayor aún, pues siempre está ante la posibilidad de que su trabajo no sea ni siquiera recogido finalmente por ningún director para llevarlo a término. Ante tanto riesgo nos sentimos tentados a proponer que al guionista se le pague también por *peligrosidad.*

En todo caso, la importancia fundamental del oficio de guionista nos lleva a pensar que debe ser éste uno de los trabajos mejor remunerados dentro de la industria cinematográfica.

Saber buscar —y por supuesto, encontrar y organizar debidamente— los temas que nos ofrece la realidad como materia prima para el proceso de dramaturgia, no es por lo general una habilidad que ya trae la persona cuando nace, ni un resultado exclusivo de la intuición. Es algo que se puede aprender y que, sobre todo, se desarrolla con el ejercicio cotidiano.

En la formación de nuevos guionistas —estoy pensando en jóvenes con condiciones probadas y vocación definida por el cine—, puede resultar interesante como complemento de sus estudios más o menos académicos, ocuparlos durante un período de tiempo en recoger y organizar historias que eventualmente pueden ser objeto de un tratamiento cinematográfico.

(...)

Supongamos ahora que el oficio de dramaturgo, de guionista, está adecuadamente retribuido, y que además se ha llevado a cabo un programa de formación a través de seminarios y talleres y que se han recogido y clasificado historias como para poder hablar con propiedad de un verdadero fondo de ideas y argumentos. ¿Qué sucede entonces si sólo se producen una, dos o tres películas en un año?

Cuenta Dovjenko cómo en cierta ocasión los responsables de la cinematografía soviética habían producido, digamos, 100 películas, y vieron que en semejante cantidad sólo habían encontrado cinco que podían calificarse de excelentes y unas 20 que merecían el calificativo de buenas, en tanto que había unas 50 mediocres y unas 20 francamente malas.

Decidieron entonces, aparentemente con muy buen juicio, que para el próximo año sólo iban a producir películas buenas y excelentes, y redujeron el número total de películas que debían producirse a 25. En esas 25 películas iban a invertir los recursos y el esfuerzo que se necesitaron para producir 100.

Y vieron entonces con sorpresa que entre esas 25 películas producidas durante el año, sólo había dos excelentes y cinco buenas, 10 eran mediocres y ocho malas.

Pensaron que había que reducir aún más la cantidad para intensificar el esfuerzo en unas pocas películas, de manera que ese año sólo produjeron una cifra equivalente a la suma de los filmes que habían recibido calificaciones de buenos y excelentes el año anterior. Pensaron que si se limitaban a producir solamente siete películas, iban a lograr siete obras maestras... Resultado: excelentes: cero; buenas: dos; etc.

No tuvieron en cuenta, según concluye Dovjenko, que «lo bello se reconoce por comparación y que la calidad aumenta con la cantidad». Es decir, no tuvieron en cuenta lo que en estadísticas se conoce como *curva de distribución normal* (curva de Gauss), y que se aplica a todas las ramas del saber...

Pero, sobre todo, no tuvieron en cuenta que, específicamente en el campo de la producción cinematográfica, constituye un error dedicar todo el esfuerzo a unas pocas películas ya que eso impide que exista un *flujo de producción* adecuado. Un flujo de producción constante, sin baches, es lo que mantiene en forma y bien aceitada la maquinaria productiva. Y eso a su vez es la condición indispensable para que se produzcan no una o dos obras maestras, que siempre pueden aparecer y a veces hasta por accidente, sino para que se incremente apreciablemente la *probabilidad* de muchas obras de calidad. Para eso hay que admitir la necesidad de dedicar una buena parte de los recursos y el esfuerzo a unas cuantas obras que —se sabe de antemano— seguramente no rebasarán un nivel mediocre.

¿Cuáles serían entonces los criterios de orden práctico para resolver los problemas de insuficiencia de nuestra dramaturgia? Ya vemos que no se trata solamente de un problema de dramaturgia y que no ganaríamos nada si se formara todo un ejército de guionistas profesionales bien calificados y bien remunerados. El propósito no es tener guionistas por tenerlos, sino tener más y mejores películas, de manera que nuestro cine alcance una significación y un peso cada vez más considerable dentro de nuestra cultura.

Todos los problemas de la industria cinematográfica están íntimamente relacionados y su solución está en dependencia de que la industria funcione como tal, es decir, con un flujo de producción constante que nos permita no solamente tener guionistas, sino todo el complejo técnico necesario para que se pueda elevar en un sentido general el nivel de calidad. Solamente así nuestro cine satisfará la demanda cultural.

(...)

Estamos contra la vulgaridad, contra la mediocridad, contra la tontería y contra todo aquello que degrada el arte cinematográfico y que tanto lugar ocupa en las pantallas del mundo.

Pero estamos también contra el estancamiento que se produce cuando una suerte de espejismo nos lleva a pensar que podemos mantenernos siempre en niveles de calidad extraordinaria, que todas nuestras películas pueden ser *destacadas*. Para que se llegue a lo extraordinario es necesario que exista lo ordinario. Para que algo se destaque es necesario que exista el nivel medio[70].

DIRECCIÓN DE ACTORES

Estoy convencido de que entre (todos los que participan en la realización de una película) es el actor el elemento más delicado con que cuenta el director para alcanzar sus propósitos. Todos los demás trabajan sobre un material que está fuera de ellos y con el que pueden establecer un cierto grado de objetividad. El actor trabaja sobre sí mismo y su relación con el director, si es verdaderamente productiva, es lo que le permite alcanzar, a través de éste, una apreciación más rica, más profunda y también más objetiva de su propio trabajo.

Una relación productiva entre el director y el actor se da cuando ambos operan en la misma onda, cuando hablan el mismo lenguaje, cuando trabajan en el mismo nivel profesional, es decir, cuando la preparación técnica, la experiencia práctica y la madurez personal les permite ahondar en sus propósitos y encontrar soluciones satisfactorias para ambos a veces sin necesidad de muchas explicaciones verbales.

Esa relación productiva entre el director y el actor no siempre se presenta. No siempre están sintonizados en la misma frecuencia. En esos casos el diálogo entre ellos siempre deja un margen demasiado amplio a la incerti-

---

[70] 1980. Del original de T. G. A., escrito para su intervención en el Seminario de Dramaturgia del II Festival Internacional del Nuevo Cine Latinoamericano.

dumbre y a la insatisfacción. Y este es un problema puramente subjetivo que no tiene que ver con la valoración que pueda hacerse de ambos independientemente.

Pocas veces se da en el cine la posibilidad de trabajar continuadamente con un mismo equipo de actores con los cuales llegue a establecerse una estrecha relación profesional y personal, de tal manera que cada nuevo proyecto cuente con la experiencia y los sobreentendidos de los anteriores. Pienso que el caso de Ingmar Bergman, en ese sentido, es envidiable.

Por lo general nos toca trabajar con actores provenientes de distintas esferas y con muy diverso nivel de preparación cultural y profesional. A veces se trata de no-actores, de tipos o personajes reales a los que se pretende hacer actuar dentro de una ficción. Otras veces se trata de niños con los que es preciso inventar nuevas reglas de juego. Y por último, lo que suele ser peor, a veces se trata de actores ya viciados por un medio menos exigente que el cine, como suele ser la televisión, y con estos es necesario llevar a cabo un doble proceso, primero para desaprender malos hábitos y después para aprender a utilizar recursos antes no explorados.

Entonces, en la base de cualquier práctica de dirección para lograr el máximo de eficiencia en un reparto de actores que no siempre operan en la misma frecuencia está la flexibilidad. Es decir, la capacidad para cambiar el método, la técnica o el lenguaje y para encontrar o inventar nuevos recursos que nos permitan alcanzar el resultado deseado de cada uno de ellos. Pero al mismo tiempo es preciso encontrar cuál es el máximo común divisor, lo que puede servir de elemento unificante en medio de la diversidad, aquello que nos va a permitir desarrollar el trabajo del conjunto de una manera orgánica.

Lo mismo que existen innumerables tipos de actores, cada director tiene su criterio, su punto de vista, sus recursos personales, su método básico, y lo que interesa al espectador es el resultado al que puede llegarse utilizando los caminos más diversos. Insisto, por lo tanto, en que los criterios que expongo son los que tengo a partir de una formación y una experiencia muy particulares. Rechazo, por ejemplo, el criterio de que el actor debe ser tratado como una marioneta, que no es necesario que comprenda nada de lo que está pasando y que basta con que se exprese en determinada forma a partir de determinados estímulos, o de una imitación lo más fiel posible de lo que el director le muestra. Sin embargo, hay directores importantes que se apoyan casi exclusivamente en ese criterio. En un documento fílmico descubierto recientemente se puede ver a Chaplin dirigiendo a otros actores en algunas escenas de sus filmes, y todo parece indicar que los llevaba a copiar hasta los más mínimos gestos que él creaba para el personaje. Y en casos como éste no se puede dudar del resultado. De hecho, pienso que en alguna medida, unos más que otros, todos los directores se ven en algún momento en la necesidad de emplear también este recurso cuando otras vías resultarían más complicadas y menos seguras[71].

Quizás el hecho de no tener yo experiencia como actor me ha obligado a desarrollar al máximo una actitud crítica frente al trabajo con los actores y, al mismo tiempo, a tratar de compensar esa deficiencia apoyándome en todo lo que el actor mismo puede aportar. El momento más delicado del trabajo es probablemente el de la selección de los actores[72].

Por lo general son los actores el talón de Aquiles de mis películas.

---

[71] Respuesta de T. G. A. a J. A. E. para la separata «¿El recurso, o el método?» sobre dramaturgia y dirección de actores, que apareció en el número 133 (octubre-noviembre-diciembre de 1991) de la revista *Cine cubano*. Entonces la respuesta de Alea fue una de las grandes ausencias, pues él no quiso entregar el texto por considerarlo inconcluso.

[72] Respuestas a un cuestionario de Daniel Díaz Torres, 25 de enero, 1979. Del original de T. G. A.

Creo que se hace difícil trabajar con no-actores cuando hay que desarrollar situaciones dramáticas complejas. (...) Cuando se trabaja con un actor no profesional siempre es conveniente filmar los acontecimientos cronológicamente, porque ellos no tienen el recurso de la memoria emotiva que manejan los profesionales y gracias al cual primero se puede filmar el final y después el principio de una película.

Pienso que tanto el actor profesional como el que no lo es pueden ser utilizados para encarnar determinados personajes, y es necesario no caer en dogmatismos, ser flexible, y no rechazar de plano una u otra posibilidad. Incluso las dos opciones pueden convivir en una misma película, siempre que se manejen teniendo en cuenta los límites de cada una.

Cuando se percibe que un actor no da lo que uno quiere no hay que esperar, simplemente hay que cambiarlo. Ese es uno de los problemas más difíciles de manejar, porque se hiere la sensibilidad.

No siempre se encuentra un actor que encaje fácilmente en el personaje. (En *Memorias del subdesarrollo)* trabajé con improvisaciones para ajustar las necesidades de los roles a cada actor y para dar a los diálogos las expresiones propias de los intérpretes. Ese fue un trabajo meticuloso porque no hay que imponer un esquema, sino dejar que las cosas surjan naturalmente en cada actor.

Con (sonido directo) se gana en concentración para el trabajo actoral y una mayor disciplina general. Creo que (es) importante para que el trabajo con los actores (alcance) un alto rendimiento[73].

Me enriqueció muchísimo trabajar con Vicente Revuelta (como colaborador para la dirección de actores) en *Una pelea cubana contra los demonios,* y junto a

---

[73] Silvia Oroz, ob. cit., págs. 80 (1er y 2º párrafos), 48-49 (3º y 4º), 96 (5º), 119-120 (6º) y 121 (7º).

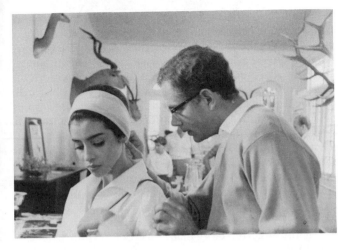

Memorias del subdesarrollo. Daisy Granados y Sergio Corrieri

José Antonio Rodríguez en *La última cena*. He trabajado en ocasiones con personas que nunca se habían parado frente a una cámara y en otras con actores profesionales. Prefiero no sólo a los profesionales, sino además a los buenos actores, que, por cierto, son muy escasos[74].

LA BANDA SONORA

Leo (Brouwer) es un músico excepcional que tiene una gran habilidad para hacer citas musicales, es decir: música de cualquier tipo. A su vez, es muy realista y no tiene una actitud personal de *gran músico*. Lo que le interesa es el trabajo. Se da cuenta que en el cine la música es diferente a la de un concierto. Sabe que en una película el músico aporta uno de los tantos elemen-

---

[74] Reynaldo Escobar Casas, ob. cit., pág. 69.

tos que la conforman. Por eso es muy fácil trabajar con Leo. Siempre peca por exceso, hace más cosas que las que le pido. Deja ideas para que yo las use. No le importa que le adulteren la música o se le hagan cortes. Tiene una actitud dialéctica ante la creación colectiva: comprende que su aporte al integrarse a una obra más compleja sufre modificaciones.

La manera más eficaz que encontramos para trabajar es con modelos. Por ejemplo: si lo que quiero se parece al cuarteto tal de Debussy, ponemos el disco y así podemos discutir a partir de algo concreto. Tratamos de definir básicamente la música desde antes de la filmación, porque la música encierra un grave peligro: puede marcar demasiado el carácter de un filme y desvirtuar el sentido de una escena. Además, porque así se puede lograr una interrelación más coherente entre imagen y sonido[75].

Una vez que el filme está acabado, llega el músico y dice: «Aquí va tal cosa, aquí tal otra para reforzar.» La música se agrega sobre una obra más o menos acabada. En cambio, si forma parte de la confección inicial, puedes apoyarte en ella de antemano para armar una escena. Una atmósfera sonora cuando se está filmando es un paso ganado, completa la idea; si no tienes la música quiere decir que no hay un objetivo suficientemente claro, entonces se corre el riesgo de que una escena quede coja por algún lado[76].

CARTA A LEO BROUWER

Querido Leo,

quiero poner sobre el papel las ideas que tengo sobre un método de trabajo en lo que se refiere a la mú-

---

[75] Silvia Oroz, ob. cit., págs. 102-103.
[76] Silvia Oroz, ob. cit., pág. 177.

Tomás Gutiérrez Alea con sus hijas, Natalia (izq.), Marina (dcha.) y su esposa Mirta Ibarra

sica para el cine. Creo que esto puede servir de base para una discusión que deberíamos tener cuanto antes: el inicio de la filmación de *Los sobrevivientes* está planificado para finales de diciembre o principios de enero.

Estoy seguro de que compartimos en lo esencial los criterios sobre *música para películas*. Por eso aquí no voy a hacer tanto hincapié en *qué* cosa es ese tipo específico de música, sino en *cómo* llegar a ella. Es decir, quiero encontrar contigo el camino para llegar a concebir no sólo una música que se integre lo mejor posible a una película ya terminada —en lo que se refiere a los restantes elementos—, sino una película que no sea una simple suma de elementos más o menos cohesionados. Es decir, que éstos, en su conjunto —estructura, ritmo, puesta en escena, actuación, fotografía, color, música, etcétera—, constituyan un todo orgánico en el que cada uno de ellos se relacione con los demás consecuentemente.

¿Por qué te planteo esta inquietud y por qué quisiera ensayar —en la medida de lo posible— un nuevo método de trabajo? Puedo decir con toda honestidad que mis películas más logradas (en particular *Memorias...* y *La última cena)* son lo que son gracias, en gran medida, a la extraordinaria calidad de la música que tú has compuesto para ellas. Y, por supuesto, cuando hablo de *calidad* no me estoy refiriendo sólo a valores específicamente musicales, sino *también* al grado de integración que has logrado con la película misma, de tal manera que no sólo no has desvirtuado su espíritu o su carácter, sino que, expresándolo y haciéndolo tuyo, le has dado un alcance expresivo que sobrepasa ampliamente todo lo que yo podía imaginar.

Pero no se trata de eso. Mi insatisfacción no proviene de tu música, sino de los límites en que yo tengo que desarrollar la parte del trabajo que me corresponde al no poder contar, desde el principio, con la concepción de un elemento tan importante —tan determinante en el carácter de la obra— como es la música (o, si lo prefieres, para ser más amplios y a la vez más precisos: con todo lo que constituye el aspecto sonoro en general). Parto de la convicción de que en la génesis de la obra no podemos hacer abstracción de ningún elemento particular si pretendemos alcanzar un resultado orgánico. Es decir, aun cuando en la práctica tenemos que proceder por etapas relativamente separadas unas de otras, ya desde la concepción misma de la obra deben estar *programados* todos los factores que deben inter-relacionarse —interactuar— a lo largo de su desarrollo.

Si bien es posible —y de hecho así sucede en lo que podríamos llamar *fábricas* de películas— establecer un sistema de *producción en cadena,* de manera que los distintos especialistas (guionista, director, fotógrafo, músico, editor de sonido, etcétera) trabajen con independencia unos de otros, creo que ese no es el caso para el cine que podemos hacer nosotros si aspiramos a ser plenamente consecuentes con una concepción dialéctica de lo que es el proceso creativo.

Hasta ahora, puedo decirte que hemos logrado profundizar bastante en lo que significa el trabajo *en equipo*. Y puedo decirte también que me siento ampliamente satisfecho de los resultados (...), aunque estoy seguro de que se puede avanzar mucho más por ese camino. Si ves *La última cena* ya terminada podrás darte cuenta de que —aparte del valor o la trascendencia que pueda alcanzar y que depende en gran medida de circunstancias que hemos dado en llamar *imponderables*— la película por lo menos logra una notable coherencia expresiva porque partimos de un guión lo suficientemente *abierto* como para que su concreción final fuera el producto de la interacción de todos los elementos que pudimos manejar durante las sucesivas fases de su realización. Así, a partir de lo que podríamos llamar un *eje ideológico* común —es decir, la determinación previa de nuestros propósitos, de la realidad que nos servía de base y de punto de partida, y consecuentemente, del carácter que debía expresar la obra—, cada miembro del equipo (cada especialista) fue condicionando su punto de vista y al mismo tiempo actuando sobre el de los demás, de manera que cuando llegamos a la fase de filmación —que puede considerarse en buena medida el *momento de la verdad*—, la puesta en escena ya estaba enriquecida por una rigurosa concepción de cada elemento particular orientado siempre en función de la totalidad. Lo único que quedó fuera de ese trabajo previo (es decir, que no participó verdaderamente en la génesis del filme) fue la música. Y lo siento, no porque crea que ésta no respondió, al final, a la demanda de la película —pues, te repito, respondió con creces—, sino porque nosotros no pudimos enriquecer nuestro trabajo en la medida en que hubiéramos podido hacerlo si hubiéramos tenido desde el principio una idea del peso que iba a tener ese elemento como parte del tratamiento sonoro en general.

No insisto más en la fundamentación teórica ni en los ejemplos del pasado. Aquí van algunas proposiciones concretas para que podamos iniciar el trabajo común en *Los sobrevivientes:*

1) He compuesto un gráfico de la estructura de la película en el que aparecen sinópticamente expuestos algunos elementos que inciden más o menos directamente sobre la concepción de la música y su distribución a lo largo de la película. Por supuesto, el gráfico es un complemento del guión —que está aún en fase de borrador y que vamos concretando sobre la marcha—, pero pienso que puede constituir un valioso instrumento de trabajo, porque en él intentamos representar no sólo la sucesión de las escenas, la cronología, el tiempo aproximado que debe durar cada una de ellas, sino que también podemos definir detalles del ambiente natural sonoro que pueden integrarse en algunos casos con la música y ser utilizados como recursos expresivos, el *tempo* de cada período y la *curva de tensiones* que a nuestro juicio debe representar la progresión dramática.

2) Aparte del guión y del gráfico, debemos conversar un poco para definir lo más rigurosamente posible el carácter que ha de tener la película a partir de su tema y del tratamiento que le estamos dando.

3) Quedan aún algunos elementos fundamentales por determinar. Particularmente estoy pensando en el tratamiento del color y en el tipo de fotografía que pensamos utilizar. Tenemos ya algunas ideas, pero todavía son imprecisas.

4) Conversamos también, por supuesto, sobre el tipo de actuación que esperamos conseguir para mantenernos dentro del carácter que ya estamos definiendo. Esto se concretará en los ensayos.

5) Con todos estos elementos, pienso que podemos empezar a precisar el tipo de música que ha de integrarse mejor con el filme.

6) Hay algunas secuencias que descansan fundamentalmente en la música. Para mí sería, sin duda, muy valioso tener lo más pronto posible algunos modelos que me sirvan de apoyo para la puesta en escena. De estas secuencias hablaremos en detalle.

7) Creo que, en general, el uso de modelos concretos para ejemplificar el tipo de música que llevará toda la película ha de sernos muy útil. Así podríamos tener *diseñada* la música desde la fase de prefilmación.

8) Dado el carácter de comedia —muy particular— que ha de tener la obra, y que determina una cierta carga de ironía, tal vez debiéramos pensar en la posibilidad de utilizar abundantemente determinados clichés musicales, e incluso *citas* musicales que tengan connotaciones muy precisas.

Creo que estas ideas sueltas pueden servir para iniciar el trabajo. Ojalá tengas tiempo suficiente para que resulte lo más fructífero posible. Para mí, te repito, sería una gran ayuda, y nadie podría hacerlo mejor que tú.

(firmado)

La Habana, 10 de noviembre, 1977[77].

Me gusta que el tratamiento sonoro de la película esté elaborado en todos los detalles. Es interesante a veces usar un sonido real como base y modificarlo con recursos técnicos para despojarlo de toda la connotación realista, de manera que no se pueda establecer ninguna asociación que distraiga y el sonido funcione sólo por su valor expresivo. Es casi como hacer música. Al final de *La muerte de un burócrata,* cuando el administrador del cementerio se esconde detrás de una tumba porque el sobrino lo persigue enloquecido, se escucha un sonido que no es fácilmente identificable y que está hecho con el cacareo de muchas gallinas y luego pasado por la cámara del eco. No se identifica qué es ese

---

[77] Del original de T. G. A.

sonido, pero se comunica su carácter histérico, que está ligado a la explosión de la locura del sobrino[78].

Empleo el sonido no con propósitos realistas estrictamente, sino como recurso dramático, como medio de expresión. En *Los sobrevivientes* trabajé con el compositor antes de iniciar los rodajes. Cuando fui a filmar ya sabía de qué musica iba a disponer para la película. Eso me ayudó. A veces se puede decir todo con música; si decides que ésta sea predominante, no es necesario abusar del verbalismo ni perder mucho tiempo en la elaboración de una escena. Una misma cosa puede hacerse de varias maneras si en cada caso se usa una música diferente. He usado el canto de los pájaros, sonidos de insectos y sonidos naturales en general para enfatizar algo combinándolos con música[79].

EL HUMOR

El humor se puede utilizar para destruir, el humor corrosivo, el humor que se burle de alguna institución, que tienda a resquebrajar determinado principio, determinados valores, pero puede servir para afirmar esos u otros valores. Puede servir para arrastrar al espectador, emocionalmente, para enajenarlo o para distanciarlo de lo que está viendo y para separarlo y hacer despertar en él una actitud crítica. Puede servir como recurso de identificación o de distanciamiento. En todo sentido es válido siempre que uno sepa cómo lo está utilizando, porque a veces uno piensa que está haciendo una sátira, que está diciendo muchas cosas, pero finalmente lo que está es haciendo una película complaciente, conformista, y piensa que está utilizando el humor corrosiva-

[78] Silvia Oroz, ob. cit., pág. 103.
[79] Jugu Abraham, «Formidable Film-Maker», *This Fornight,* Nueva Delhi, 1-15 de marzo, 1980, pág. 59. Traducción de J. A. E.

mente y no; a lo mejor lo está utilizando como válvula de escape[80].

El humor es un recurso expresivo cuyos efectos pueden resultar muy contradictorios. Puede ser empleado para ridiculizar pero también para exaltar, puede servir para negar pero también para afirmar, puede ser un vehículo de evasión, pero servir también para estimular una actitud crítica, para *tomar distancia* en un sentido brechtiano. Además de que facilita la comunicación, constituye un factor de ruptura frente al cual se tambalean todos los esquemas en medio de los cuales nos movemos a veces sin saber por qué. El humor puede llegar a ser una cosa muy seria cuando se enfrenta a la ridícula solemnidad de algunos jueces...[81].

DOCUMENTAL Y FICCIÓN

En momentos de convulsión social, la realidad pierde su carácter *cotidiano* y todo lo que acontece es *extraordinario*, nuevo, insólito... La dinámica del cambio, las tendencias del desarrollo, lo esencial, se manifiesta más directa y claramente que en momentos de relativo reposo. Por eso capta nuestra atención y en ese sentido podemos decir que es espectacular. Es cierto, lo más consecuente es tratar de apresar esos momentos en su estado más puro —documental— y dejar la reelaboración de los elementos que ofrece la realidad para aquellos momentos en que ésta transcurre sin aparente alteración. Entonces la ficción es un medio, un instrumento idóneo, para penetrar en su esencia[82].

Mi primer largometraje, *Historias de la Revolución,*

[80] Guillermo González Uribe, ob. cit., pág. 8.

[81] Daniel Díaz Torres, «Sobre vivencias y supervivencias: cinco respuestas, *Cine cubano,* núm. 89-90, 1979, en Ambrosio Fornet, ob. cit., pág. 247.

[82] Tomás Gutiérrez Alea, *Dialéctica del espectador,* pág. 7.

La batalla de Santa Clara, episodio de *Historias de la Revolución.*

comienza con imágenes documentales del ataque al Palacio Presidencial, el 13 de marzo de 1957. Lo consideramos mucho más valioso porque era un testimonio de los acontecimientos reales y no tenía que someterse a ningún proceso de elaboración. Podíamos haber logrado algo técnicamente mejor, por supuesto, si hubiésemos reconstruido dramáticamente el ataque, pero el valor de aquel tipo de testimonio documental era insustituible.

(...) Cuando un fotógrafo toma imágenes de acontecimientos que ocurren en la realidad, no significa que haya tomado la realidad, sino sólo algunos de sus aspectos escogidos por él entre otros muchos y, la mayor parte de las veces, espontáneamente, de acuerdo con la circunstancia, lo cual es también parte de la realidad. En este caso la manipulación es escasa —uno siempre es selectivo; reúne ciertos aspectos de la realidad fuera de contexto—, pues ocurre sobre la base del aprovechamiento de testimonios documentales, no de cambios operados deliberadamente en la realidad. Eso tiene un valor. Sin embargo, no el suficiente para permitirnos hacer generalizaciones en virtud de los acontecimientos. El aprovechamiento del testimonio documental es muy útil, pero también puede conducir a engaño. El cine sirve para cambiar la actitud de la gente con respecto a algún fenómeno, para apoyar ideas específicas, y entonces el nivel de manipulación del documental es muy alto. Se pueden decir enormes mentiras tomando como fundamento hechos reales.

La ficción te permite ahondar más en la realidad desde un punto de vista analítico. En ella se utilizan ciertos aspectos de la realidad con el propósito de mostrarla en otros más generales, pues opera con abstracciones que nos invitan a sacar conclusiones más abarcadoras, para luego volver a la realidad enriquecidos por una experiencia emotiva. A propósito de ese proceso estoy escribiendo unas cuantas reflexiones que he llamado «El hilo de Ariadna», basadas en la leyenda de Teseo, de la mitología griega. Existen numerosas y diversas interpretaciones de este mito, pero hay una que me gusta especialmente. Como se sabe, Teseo debe llegar al centro del laberinto para enfrentarse al Minotauro, un monstruo que devora hombres. No es difícil llegar allí, pero sí lo es salir. En el mejor de los casos uno llega al centro del laberinto y mata al monstruo; en otras palabras: entra a una abstracción y tiene un momento de revelación; siente la capacidad de conquistar o de entender algo, pero no puede volver a la realidad. Eso suele ocurrir. No obstante, Teseo consigue salir, porque Ariadna le había dado un hilo que le guiaría de regreso. He aquí otro sublime aspecto del mito: Ariadna le dio el hilo porque lo amaba. Es el amor lo que le permite la vuelta a la realidad luego de haber vencido al Minotauro, luego de haber conjurado por sí mismo las mayores fuerzas del mal. Para mí, pues, este es el mito de la posibilidad de crecer, de desarrollarse, de comprender mejor el mundo. Creo que el arte también puede cumplir esta función. Uno se mueve entre la ficción y la realidad mientras contempla una película, pero al final siempre hay que volver a la vida cotidiana. Algunos filmes obstaculizan este regreso porque muestran una imagen de la vida quizás muy hermosa, pero desvinculada de la realidad; inspiran un nivel de abstracción en el que uno llega a extraviarse.

Si sabemos que una película es como un sueño —un sueño colectivo, en este caso—, y que puede llevar al espectador a un estado de ilusión, debemos también darle un hilo que le traiga de vuelta a la realidad, para ponerlo en condiciones de aprovechar esa experiencia en su propia vida. Todos necesitamos soñar, pero vivimos en la realidad. Y esto se vincula con lo que antes decíamos, porque mezclar o integrar documental y ficción permite contribuir al mantenimiento de esa relación. Es el hilo de Ariadna[83].

EL TEATRO, LA NOVELA Y EL CINE

En la medida en que el cine *narra* una historia, se ha valido de la novela y ha asimilado los recursos de lenguaje que le son propios. En la medida en que es *espectáculo*, se ha enriquecido con los recursos del lenguaje teatral. Pero hay que recordar que el cine es también plástica, música y muchas otras cosas. Y en la medida en que es todo eso, se nutre de la pintura, de la música, de la poesía, del circo.

(...)

A pesar de que el concepto de montaje siempre ha existido potencialmente en todas las demás artes, su

[83] Gary Crowdus, «Up to a Point: An Interview with Tomás Gutiérrez Alea and Mirta Ibarra», *Cineaste,* Nueva York, vol. XIV, núm. 2, 1985, págs. 27-28. Traducción de J. A. E.

Tomás Gutiérrez Alea con Eduardo Galeano en San Sebastián

descubrimiento, a través del cine, ha proporcionado nuevos recursos de lenguaje, de manera notable, al teatro. Sin duda también a la novela. Pero en este caso el cine ha aportado, además, lo que pudiera llamarse una *visión cinematográfica* del acontecimiento, que consiste en exponer un hecho mediante sus manifestaciones externas, como si fuera captado por una cámara de cine. La novela se ha hecho así, bajo la influencia del cine, sin duda, cada vez más objetiva[84].

En el cine el acento está en la acción y en la posibilidad de penetrar en los personajes a través de gestos, de la simple presencia, de relaciones con objetos, etcétera. Y todo esto forma parte también del lenguaje novelesco. El teatro ofrece, sobre todo, un apoyo estructural que

---

[84] *Cine cubano,* La Habana, 1967, antologada en *Rueda de prensa,* en Ambrosio Fornet, ob. cit., pág. 326.

puede ser aprovechado. Pero el acento en el diálogo sólo funciona excepcionalmente en el cine[85].

La literatura te sugiere y el cine te precisa. Te enmarca de una manera más exacta determinadas cosas. Por eso pienso que por lo general los escritores se sienten traicionados cuando ven sus obras en la pantalla, ellos habían imaginado una cosa y lo que sale es ya otra que empieza a operar por su cuenta. Yo pienso que cuando un escritor escribe el texto se le va de las manos porque cada receptor va a imaginar a un protagonista —su protagonista— con rasgos muy determinados. El cine unifica en una sola imagen tantas interpretaciones posibles de esa literatura. Nunca he pensado que es productivo o que vale la pena —a mí no me interesaría jamás— hacer una traducción de un cuento o de una novela al cine. Se han hecho y algunas tienen valor, pero para mí no tiene ningún interés. Como materia prima para hacer una película, la literatura me interesa como me interesa cualquier otro aspecto de la realidad.

No es que uno sea superior a otro ni que esté situado por encima o por debajo. Son distintos, diferentes concepciones artísticas. La literatura te puede describir lo que está dentro del personaje, sus motivaciones, de una manera más directa, te va caracterizando el personaje con palabras. ¿Cómo tú traduces eso en imágenes? No te queda más remedio que meterlo dentro del personaje, actuar desde él. Los ojos del actor son la cosa más expresiva del mundo, la fascinación que ejercen las miradas, eso que se da con los primeros planos...[86].

---

[85] *Cine cubano,* La Habana, 1967, antologada en *Rueda de prensa,* en Ambrosio Fornet, ob. cit., pág. 325.

[86] Rebeca Chávez, ob. cit.

a) Realidad, realismo y ficción

El espectador no es un ente abstracto. Está determinado por sus circunstancias y de acuerdo con estas puede encontrarse en los más variados niveles de madurez, comprensión, motivación, interés. Y a partir de ahí el diálogo será más o menos productivo. Tanto el espectador como el artista se desarrollan y maduran si las circunstancias son propicias. Pero hay algo que no debemos olvidar: el espectador de cine, por muy maduro y desarrollado que esté, no irá nunca a ver una película simplemente para aprender o para recibir cualquier tipo de exhortaciones morales. Se va al cine para disfrutar de un placer estético, en primer lugar. La respuesta del espectador, más allá de su satisfacción personal, dependerá en líneas generales de la capacidad del artista para motivarlo o inquietarlo en otro sentido[87].

A propósito de esos filmes que suelen verse por la TV y frente a los cuales un hombre maduro puede llegar a sentirse incómodo porque no les encuentra un sentido, porque no puede relacionarlos coherentemente con la compleja imagen del mundo que se ha ido formando a lo largo de su vida, surge fácilmente la pregunta: «¿Es que eso tiene algo ver con la realidad?» A lo cual podría contestar un niño con otra pregunta: «¿No se trata de una película?»

(...)

El realismo del cine no está en su presunta capacidad para captar la realidad *tal como ella es* (que no es sino *tal como ella 'aparenta' ser)*, sino en su capacidad para revelar, a través de asociaciones y relaciones de

---

[87] Augusto Bernal y Carlos Tapia, ob. cit., pág. 48.

diversos aspectos aislados de la realidad —es decir, a través de la creación de una *nueva realidad*—, capas más profundas y esenciales de la realidad misma. De manera que podemos establecer una diferencia entre la realidad objetiva que nos ofrece el mundo, la vida, en su sentido más amplio, y la imagen de la realidad que nos ofrece el cine desde los estrechos marcos de la pantalla. Una sería la verdadera *realidad* y la otra sería la *ficción*.

Nos interesa destacar (...) cómo el espectáculo cinematográfico brinda al espectador una imagen de la realidad que pertenece a la esfera de la ficción, de lo imaginario, de lo que no es real, y en ese sentido se da en relativa oposición a la realidad misma dentro de la cual se inserta. Claro que la esfera de lo real en su acepción más amplia incluye la vida social y todas las manifestaciones culturales del hombre. Incluye por tanto la esfera de la ficción misma, del espectáculo —en tanto que objeto cultural—. Pero, en rigor, se trata de dos esferas diversas, cada una con sus peculiaridades, y podemos caracterizarlas, no sólo como dos aspectos de la realidad, sino como dos *momentos* en el proceso de aproximación a su esencia. El espectáculo puede concebirse entonces como una mediación en el proceso de penetración de la realidad. El momento del espectáculo correspondería al momento de la abstracción en el proceso del conocimiento.

El espectáculo artístico se inserta en la esfera *cotidiana* de la realidad (la esfera de lo continuo, lo estable, de relativo reposo...) como momento *extraordinario*, como ruptura, y se le opone como i-realidad, como realidad-otra, en tanto se mueve y se relaciona con el espectador en un plano ideal. (En este ser *idealidad* —extrañamiento ante lo cotidiano, modelación— se expresa su carácter inusitado, extraordinario. De modo que el espectáculo no se opone a lo típico, sino que es capaz de encarnarlo en tanto que proceso selectivo y exacerbación de rasgos relevantes —significativos— de la realidad.) No puede decirse, por tanto, que es una extensión de la realidad (cotidiana), sino, en todo caso, una extensión de la realidad subjetiva (del artista y del espectador) en la medida en que es una objetivación del contenido ideológico y emocional del hombre.

El cine puede acercar al espectador a la realidad sin dejar de asumir su condición de irrealidad, ficción, realidad-otra, siempre que tienda un puente hacia ella para que el espectador regrese cargado de experiencia y estímulo. La suma de vivencias, informaciones y, en conjunto, de experiencias, que se dan al espectador a través de esa relación, puede quedarse sólo en eso —nivel más o menos activo del reflejo, nivel sensorial...—, pero puede también desencadenar en aquel, una vez que deja de ser espectador y se enfrenta al otro lado de la realidad (el que le es propio, su realidad cotidiana) una serie de razonamientos, juicios, ideas y, consecuentemente, una mayor comprensión de la misma y una adecuación de su conducta, de su actividad práctica. La respuesta del espectador sucede al momento del espectáculo, es un efecto del espectáculo...

Ciertamente, desde que la TV ha llevado a las casas los momentos más espectaculares de la realidad —pensamos, por ejemplo, en el americano medio, bebiéndose una cerveza en la sala de su casa mientras contempla en el aparato de TV cómo el jefe de la policía de Saigón le abre un agujero en el cráneo a un prisionero en plena vía pública, y todo esto en colores...—, ya la *representación* de estos momentos tiene que ajustarse a las nuevas circunstancias. Pero lo más importante es que un hecho tan potente, tan insólito, tan descarnado, una vez que se da como espectáculo —es decir, se ofrece a la contemplación del espectador—, su potencialidad como generadora de una reacción consecuente en el plano práctico se ve notablemente reducida. Probablemente la sorpresa le hará dar un salto en la butaca, pero seguidamente irá al refrigerador a destapar otra cerveza que lo hará dormir tranquilo. Después de todo, esos hechos han ido pasando poco a poco al plano de la cotidianeidad. ¿Qué habrá que hacer para conmover a ese hombre? No basta que el espectáculo sea real —y que esté sucediendo en el momento mismo de la contemplación— para generar una reacción *productiva* en el espectador.

(...)

Un *espectáculo socialmente productivo* será aquel que niega la realidad cotidiana (los falsos valores cristalizados de la conciencia cotidiana, de la conciencia ordinaria) y a la vez sienta las premisas de su propia negación, es decir, su negación como sustituto de la realidad y como objeto de contemplación. No se ofrece como simple vía de escape o consuelo para el espectador atribulado, sino propicia el regreso del espectador a la otra realidad —la que lo empujó a relacionarse momentáneamente con el espectáculo, a abstraerse, a disfrutar, a jugar... no complacido, tranquilo, descargado, apaciguado, inerme, sino estimulado y armado para la acción práctica. Es decir, aquel que, a través del disfrute, constituye un factor en el desarrollo de la conciencia del espectador, en tanto lo mueve a dejar de ser simple espectador pasivo (contemplativo) frente a la realidad.

(...)

El espectador que contempla un espectáculo está ante el producto de un proceso creativo de una imagen ficticia que tuvo su punto de partida también en un acto de contemplación viva de la realidad objetiva por parte del artista. De manera que el espectáculo puede ser contemplado directamente como un objeto en sí, como un producto de la actividad práctica del hombre; pero también el espectador puede remitirse al contenido más o menos objetivo que refleja el espectáculo, el cual funciona entonces como una mediación en el proceso de comprensión de la realidad.

(...)

El espectáculo como refugio frente a una realidad hostil no puede sino colaborar con todos los factores que sostienen semejante realidad en la medida en que actúa como pacificador, como válvula de escape, y condiciona un espectador contemplativo frente a la realidad. El mecanismo es demasiado obvio y transparente y ha sido denunciado con harta frecuencia. (...) Y se han propuesto múltiples vías de salida para tan irritante situación que invierte el rol del espectador-sujeto y lo somete a la triste condición de objeto.

(...)

El problema de la participación del espectador sigue en pie y reclama una solución también dentro —o mejor, a partir— del espectáculo cinematográfico, lo cual pone al descubierto el enfoque simplista con que muchas veces ha sido abordado este problema. Lo primero que nos revela esta inquietud es algo que frecuentemente se olvida y que, sin embargo, tiene el carácter de verdad axiomática: *La respuesta que interesa del espectador no es sólo la que puede dar dentro del espectáculo, sino la que debe dar frente a la realidad.* Es decir, lo que interesa fundamentalmente es la participación real, no la participación ilusoria.

(...)

¿En qué se apoya el artista para concebir un espectáculo que no sólo proponga problemas, sino que señale al espectador la vía que debe recorrer para descubrir por sí mismo un nivel más alto de determinación? Indudablemente, aquí el arte debe hacer uso del instrumental desarrollado por la ciencia en la tarea investigativa y aplicar todos los recursos metodológicos que están a su alcance y que le pueden proporcionar la teoría de la información, la lingüística, la psicología, la sociología, etc. El espectáculo, en tanto que se convierte en el polo negativo de la realidad-ficción, debe desarrollar una estrategia adecuada a cada circunstancia y no debemos olvidar que en la práctica el espectador no puede ser considerado como una abstracción, sino que está condicionado histórica y socialmente de tal manera que el espectáculo ha de dirigirse en primera instancia a un espectador concreto, frente al cual puede desplegar al máximo su potencialidad operativa[88].

b) Identificación y extrañamiento

Hay quien piensa, con la mayor buena fe, que si sustituimos a Tarzán por un héroe revolucionario podremos lograr más adhesiones para la causa de la revolución, sin darse cuenta de que en sí el mecanismo de identificación o empatía con el héroe, *si se absolutiza*, coloca al espectador en el punto en que lo único que distingue es *malos* y *buenos* y se identifica naturalmente con los últimos, sin entrar en consideraciones sobre lo que verdaderamente representa el personaje. Resulta entonces intrínsecamente reaccionario porque no opera en el nivel de la conciencia del espectador: lejos de eso, tiende a adormecerla. (La comunicación se produce en todos los niveles posibles y los recursos expresivos son válidos en la medida en que sean efectivos, independientemente del canal que recorran. Pero sucede que cuando se absolutiza el recurso de identificación, se está cerrando el paso a la comunicación racional. Es en este sentido que decimos que se realiza una operación reaccionaria, por muy dirigida que esté hacia objetivos revolucionarios.)

(...)

Algunos han entendido el efecto de distanciamiento como un simple enfriamiento del proceso emotivo que se va desarrollando con el espectáculo. Pero la cosa es más compleja. El proceso emotivo debe quedar de tal manera trunco que obligue al espectador a buscar una compensación también en el plano emotivo: el efecto de distanciamiento debe sustituir una emoción cualquiera por la emoción específica de *descubrir* algo, de en-

---

[88] Tomás Gutiérrez Alea, *Dialéctica del espectador*, págs. 23-33.

Tomás Gutiérrez Alea con Antonio Saura. Huesca, 1994

contrar una verdad que antes estaba oscurecida por el acomodamiento a la vida cotidiana. Y eso es fundamental: su objetivo no es simplemente, a partir de un caprichoso ascetismo, alejar al espectador de la emoción que pueda producirle el espectáculo. Su objetivo es revelarle algo nuevo en aquello que creía conocer y por tanto debe cumplirse a través de una separación y de una nueva valoración de aquello que le es familiar. Esto sólo será posible si se estimula el interés del espectador para que pueda llegar a sentir, en un nivel más alto, la emoción de descubrir —racionalmente— una verdad cualquiera.

En el cine, este tan mentado efecto de distanciamiento adquiere modalidades específicas y aún no plenamente exploradas. Basta pensar en el simple hecho de que la cámara puede recoger aspectos aislados de la realidad tal como ésta se presenta cotidianamente ante los ojos de cualquiera. Ese mismo sujeto está tan familiarizado con la realidad de todos los días que no suele ir más allá de su apariencia: a cambio de su capacidad de adaptación —un indiscutible recurso de supervivencia en medio de una realidad que no siempre es placentera y fácil y nunca perfecta—, el sujeto ha perdido en gran medida el estímulo que lo movería a transformar esa realidad. Sin embargo, cuando la ve en la pantalla, formando parte de un espectáculo, la ve con nuevos ojos, en otro contexto y no puede dejar de descubrir en ella nuevas significaciones. Esta confrontación y la consecuente «revelación» de nuevos significados no es más que el germen de una actitud de extrañeza hacia la realidad y ha brotado exclusivamente de un hecho puramente situacional: la traslación de un aspecto aislado de la realidad a otro contexto. Eso, que constituye el más elemental mecanismo de distanciamiento, en el cine suele darse de una manera menos deliberada que en el teatro, simplemente porque la imagen que el cine capta de la realidad es una imagen *documental,* capaz de crear más fácilmente la ilusión de que se está frente a la realidad misma. (...) Las asociaciones de montaje, no sólo cuando se trata de una sucesión de imágenes que pueden ser colocadas en una relación insólita como incentivo para descubrir nuevos significados, sino también cuando las relaciones se establecen entre el sonido y la imagen (lo que Eisenstein denominó «contrapunto audio-visual»), constituyen una modalidad específicamente cinematográfica del efecto de distanciamiento.

(...)

El cine también tiene sus peculiaridades en lo que se refiere al fenómeno de *identificación.* Las condiciones propias del espectáculo cinematográfico (las imágenes —luces y sombras— que se mueven en la pantalla, los sonidos que envuelven al espectador...) contribuyen a crear una sensación de aislamiento aun cuando se esté en medio de una multitud que no se ve y no se escucha, y esto tiende a provocar en el espectador algo muy semejante a un estado hipnótico, un estado de trance en el que la conciencia puede quedar completamente adormecida. En ese sentido, las imágenes de un filme pueden compararse a las de un sueño compartido y, consecuentemente, su poder de persuasión o sugestión alcanza un peligroso nivel, ya que puede operar en un sentido o en otro.

(...)

El espectáculo que pretenda dar un paso efectivo hacia el descubrimiento de capas más profundas de la realidad, el espectáculo desmistificador, el que nos hace subir un escalón más en el camino de la conciencia real, es decir, el que produce un nuevo espectador, será aquel que no agota, en sí mismo, la exposición de un criterio —por muy revolucionario que éste sea o pueda parecer y que lo mismo puede llegar a través de la crítica o en forma de consignas o de lugares comunes— (...), sino aquel que lanza al espectador a la calle cargado de inquietudes y con un camino señalado, camino que habrá de recorrer éste cuando deja de ser espectador y se convierte en actor de su propia vida.

(...)

La fascinación que ejerce un héroe del drama aristotélico es un recurso que puede levantar los ánimos pero que suele rebajar la razón.

(...)

(Existen) dos momentos en la relación espectáculo-espectador: de una parte, el *pathos*, el éxtasis, la enajenación; de otra parte, el *distanciamiento*, el reconocimiento de la realidad, la desalienación. El movimiento de un estado a otro se puede cumplir repetidas veces durante el desarrollo del espectáculo. El movimiento que realiza el espectador de un polo dialéctico a otro dentro de la obra es análogo al que realiza desde la realidad de todos los días al teatro o cine y viceversa. También este salirse de la realidad de todos los días para sumergirse en una realidad ficticia, un mundo autónomo en el que va a reconocerse para después regresar enriquecido con la experiencia es un movimiento de enajenación y desenajenación.

(...) Brecht cuestiona ante todo la tradicional relación espectáculo-espectador en virtud de la cual éste es arrebatado hasta el punto de llegar a confundir *ilusión* con *realidad*. Este es su gran aporte revolucionario al teatro y, por extensión, a todo tipo de espectáculo que nos ofrece una *imagen* de la realidad, es decir, *una ilusión de realidad*. La sistematización del recurso de distanciamiento nos permite optar por un espectáculo que se manifiesta no como sustituto de la realidad, sino como un instrumento esclarecedor —profundizador— de la misma a través de una *ficción* que se presenta como tal. Está claro que cuando se habla de cine, de ficción, se está hablando de una *ilusión*, pero no necesariamente de un engaño o de un error, sino de un *juego*. Puede —y debe— tratarse de una ilusión de cuya cualidad como tal somos conscientes, que la presuponemos. Para que una ilusión nos aporte no sólo un goce estético sino también una enseñanza y un estímulo, es preciso que se cumpla y se agote de tal manera que *las pinturas cedan el paso a lo pintado*[89].

De acuerdo con una polarización hecha por ti mismo, qué prefieres ahora, ¿la emoción de la lógica o la lógica de las emociones?

No tengo fijación ni limitaciones en ese sentido: puedo poner el acento lo mismo en una que en la otra, en lo intelectual o en lo emocional, porque es un juego permanente que me permite cortar la emoción con la razón e impulsar la razón con la emoción, potenciándola.

La emoción no es ni un fin, ni un pretexto ni un medio en términos absolutos dentro de la obra. La emoción es una especie de catalizador, pero también puede existir en sí misma, como parte del disfrute estético.

---

[89] Tomás Gutiérrez Alea, *Dialéctica del espectador,* págs. 35-57.

Cartas del parque. Mirta Ibarra

Estoy pensando en *Cartas del parque* y en *Contigo en la distancia*. Lo que pasa es que yo creo tener mi propio concepto del melodrama; en ninguna de esas dos películas hay actrices que se agarren de las cortinas ni nada de eso. Sería algo así como un melodrama contenido.

Hay películas, como por ejemplo *Dead Poets' Society (El club de los poetas muertos),* en las cuales uno se deja arrastrar por la emoción, sin que medie ningún distanciamiento, y el resultado es edificante. El público tiene una experiencia positiva no sólo en el plano emotivo, en el acto de la contemplación de la película, sino también en el plano racional, porque las cosas que allí se dicen y que cada espectador recibe en un nivel de percepción muy aguda —casi de fascinación— le enriquecen más allá de la vivencia momentánea, en la medida en que estimulan sus meditaciones sobre la educación, las relaciones humanas, el sentido de la vida... Estimulado sales también luego de haber visto un filme como *Dona Flor e seus dois maridos (Doña Flor y sus dos maridos),* un juego tan vital y tan fresco que, al dejarte arrastrar emocionalmente, recibes una inyección de ánimo[90].

ACERCA DEL ARTE

El desarrollo del arte se expresa no sólo en un cambio sucesivo de sus funciones, de acuerdo con las distintas formaciones sociales que lo generan a lo largo de la historia, sino también como un enriquecimiento y complejización de los recursos de que dispone. Desde el artista mago de las cavernas hasta el artista de la era científica el objeto artístico ha desempeñado diversas funciones. Así ha ejercido sucesivamente la función de instrumento de dominación de fuerzas naturales, o de una clase por otra, de afirmación de una idea, de comunicación, de autoconciencia, de conciencia crítica, de celebración, de evasión de la realidad o de compensación, de simple goce estético... En cada momento histórico se coloca el acento en una u otra función y se niegan otras. Sin embargo, no hay que olvidar que todas forman un solo cuerpo de experiencia acumulada y de todas subsiste algún elemento valioso que va a enriquecer a las demás. Los distintos niveles de comprensión (o de interpretación) de la obra artística se superponen y expresan la acumulación de múltiples funciones a través de la historia. Así, el artista de las cavernas subsiste en todo el arte verdadero y si nunca fue eficaz para atraer al bisonte real, sí pudo serlo para movilizar a los cazadores. La sugestión sigue operando con mayor o menor éxito de acuerdo con las circunstancias específicas de cada obra particular[91].

---

[90] Entrevista con el autor.
[91] Tomás Gutiérrez Alea, *Dialéctica del espectador,* pág. 21.

El artista revolucionario es, en primer lugar, un hombre: se realiza plenamente primero como hombre. Es decir, que el acento está en su condición de hombre y eso implica el desarrollo de todas sus potencialidades como artista, pero también algo más. Aquí se trata, no de un artista que pone su obra por encima de todo y que en función de ella sacrifica hasta su propia humanidad, sino de un ser humano que, en la medida en que alcanza su plenitud como tal, se realiza también como artista. Su realización personal no está en *manifestarse* ante los demás, de acuerdo con determinadas convenciones, como un ser *consagrado al arte*, sino en *entregarse* a los demás por encima (o por debajo) de todas las convenciones que obstaculicen ese acto de amor, ese encuentro fecundo con la vida. Y todo proceso vital sano está movido por impulsos revolucionarios, de la misma manera que los procesos morbosos, las aberraciones, sufren la acción de fuerzas reaccionarias, regresivas, fascistas... Así, la necesidad de trascender se vuelve contra sí misma cuando se convierte en una necesidad de ser *por encima* de los demás. Y se alimenta y se enriquece, en cambio, cuando se entiende como una necesidad de ser *junto* a los demás. Esto se traduce en una necesidad de expresarse, de comunicarse, de ser en ellos[92].

La obra de arte auténtica estará, en alguna medida, impregnada del espíritu de su época. Y lo moderno, en definitiva, pienso que debe estar determinado por el grado de impregnación que el espíritu de la época presenta en la obra de arte. Ahora bien, ¿cuál es el espíritu de una época? Para precisar aún más, ¿cuál es el espíritu de nuestra época? ¿Cuántos aspectos diversos presenta ese espíritu? ¿Cuáles son más válidos que otros

---

[92] Tomás Gutiérrez Alea, *Hora y momento del cine cubano*. Ponencia para el seminario sobre cine cubano realizado en la sede del Instituto Cubano del Arte e Industria Cinematográficos (ICAIC) en mayo de 1972. En Ambrosio Fornet, ob. cit., pág. 314.

para poder declararlos como característicos de nuestra época?

Por mi parte, tengo demasiadas dudas y contradicciones para poder plantear una tesis al respecto. Además, está la circunstancia de que no soy un teórico y que todas las inquietudes, dudas y contradicciones que tengo sólo podría expresarlas a través de lo que constituye mi trabajo, que, en definitiva, no es más que un intento de creación artística. Sin embargo, ante casos concretos podría dar mi opinión sobre la *modernidad* de una obra determinada. Y me sentiría bastante cómodo haciéndolo. Naturalmente, me gustaría saber, desde un punto de vista teórico, por qué llegamos a conclusiones de esa naturaleza, pero es evidente que hay otras cosas ligadas al mismo fenómeno que me preocupan más. Y todas reflejan problemas de carácter práctico y muy concreto. Por ejemplo: ¿Por qué, durante tanto tiempo, en el campo del pensamiento marxista se llegó a conclusiones teóricas muy rotundas sobre la validez o no de una obra de arte y dichas conclusiones llevaron, en la mayor parte de los casos, a negar justamente aquellas obras que más impregnadas estaban del espíritu de su época y que por lo tanto podían calificarse como las obras más modernas y más representativas de un momento? Los innumerables casos, en todas las ramas del arte, que ilustran esta pregunta son demasiado conocidos para detenernos en ellos. Otras preguntas: ¿Por qué la teoría podía, en esos casos, dictar normas de creación artística que dieron lugar a un academicismo francamente pasado de moda, es decir, no moderno y, diría yo, hasta reaccionario? ¿Por qué, si la teoría nos llevaba a las conclusiones más razonables, la práctica que se desprendía de tales teorías, en la mayor parte de los casos, no cumplía su cometido, es decir, carecía de los necesarios elementos para que sus obras pudieran calificarse como modernas y hasta como obras de arte, y ni siquiera podía hablarse de que respondían a una demanda, porque carecían de interés para el pueblo a

Tomás Gutiérrez Alea.
© Chris Stewart

quien iban dirigidas? (...) Se reconoce ahora la validez de manifestaciones artísticas que desde hace mucho tiempo están desarrollándose y cumpliendo una función, y esto es así porque el artista ha tenido que imponerse, en definitiva, por encima de una interpretación errónea de la teoría; porque el artista ha sido sincero y ha expresado aquello que sentía, aun cuando entrara en contradicción aparente con una teoría a la que apoyaba en otros órdenes (el caso de Picasso, comunista, es elocuente). Quiere esto decir que ahora se ha logrado una victoria en el nivel de la teoría: se reconoce la validez de artistas como Stravinsky y Picasso. ¿No es una pobre victoria? ¿No nos sitúa esa victoria allá por el año 10, por la primera década de este siglo, es decir, con cincuenta años de atraso? ¿Qué reconocimiento darán los mismos críticos a las corrientes que pueden estar desarrollándose en este momento? ¿Tendremos que esperar otros cincuenta años para que sean reconocidas?

La incomprensión inmediata de una obra no puede constituir una amenaza de desintegración de nuestra sociedad y (...), por tanto, no puede ser negada sobre la base de unos razonamientos que pueden ser erróneos, pues esa obra tiene muchas probabilidades de no ser un mero accidente histórico, sino que muy bien puede ser el producto lógico de determinadas circunstancias que no debemos ocultarnos a nosotros mismos si queremos ir a una interpretación correcta de la realidad que nos rodea.

El artista no puede apoyarse en fórmulas teóricas preestablecidas con el propósito de encontrar una aprobación inmediata de su obra. Existe siempre el peligro de la aceptación de normas teóricas como leyes inflexibles de la creación artística, y se olvida que en arte la práctica precede a la teoría. Pero ya se sabe que un académico no es un artista. Y eso nos lleva a otras conclusiones, como son las de que un verdadero artista no puede dejar de ser moderno, es decir, no puede dejar de estar impregnado del espíritu de su época, no puede dejar de sentir en alguna medida las fuerzas que configuran el desarrollo de la realidad que lo rodea. Un artista moderno siempre ha de confrontar el riesgo de no ser comprendido en un primer momento. Y un artista moderno, verdadero, no puede dejar de asumir ese riesgo, pues lo único que no puede abandonar es su sinceridad y esta cualidad es la que lo obligará a expresarse en una forma y no en otra[93].

EL CINEASTA EN LA SOCIEDAD

El ejercicio del cine implica una indiscutible responsabilidad social. Su extraordinario alcance como medio

93 Tomás Gutiérrez Alea, «Sobre lo moderno en el arte», 26 de octubre, 1962, en Ambrosio Fornet, ob. cit., págs. 291-295.

masivo de comunicación le confiere una indudable fuerza como arma ideológica. Sin embargo, pienso que a menudo se ha interpretado mal este aspecto del cine. Cada vez que se ha querido absolutizar su aspecto ideológico —desconociendo que el cine es *en primer lugar* un espectáculo y, por tanto, un hecho estético, una fuente de placer—, su eficacia como arma ideológica se ha visto reducida considerablemente. Cada vez que se pretende reducir a esquemas un fenómeno complejo, la dialéctica hace saltar las cosas por donde menos se espera, sus leyes se imponen a la larga y hay que pagar caro los intentos de violación. De nada vale hacer películas que intenten promover las más valiosas ideas revolucionarias si el público no va a verlas, o si, lo que es peor, reaccionando contra el filme, rechaza también lo que éste intenta comunicar. La gran lección que encierran estas sorpresas no siempre es bien comprendida. Existe una peligrosa tendencia a disimular la falta de eficiencia, la falta de calidad, la mediocridad, con el recurso, relativamente fácil, de poner por delante una consigna, como aquel tenor que desafinaba atrozmente pero se libraba de que le tiraran tomates o huevos podridos porque salía a escena envuelto en una bandera. (...) Aquellos cineastas que ven el cine como un arma ideológica de grueso calibre tendrían que actuar con una cierta dosis de sentido práctico, audacia o imaginación. La responsabilidad social del cineasta exige mayor profundidad en el análisis de los mecanismos adecuados para difundir la ideología. No basta decir que el cine es un arma ideológica y apuntar para dar en el blanco. La cosa no es tan sencilla. Con demasiada frecuencia el tiro sale por la culata. Para ser eficaz en el plano ideológico, el cine debe ser eficaz como cine, es decir, debe ser eficaz en el plano estético[94].

---

[94] Tomás Gutiérrez Alea, «No siempre fui cineasta», en Ambrosio Fornet, ob. cit., págs. 22-23.

Es la confrontación con el público, en última instancia, lo que determina en la práctica el alcance y la significación de la obra, con independencia de sus buenos propósitos, y es un factor condicionante en el desarrollo del lenguaje cinematográfico. No basta decir cosas importantes —o que uno piensa que son importantes—, no basta el propósito de revelar algún aspecto esencial de la realidad. Es necesario que esas cosas sean dichas de manera que logren una resonancia en el espectador y que éste responda consecuentemente. Si pretendemos que el cine cumpla en alguna medida una función social *productiva* (...), el lenguaje empleado ha de estar condicionado, como premisa elemental, por su capacidad para establecer una comunicación eficaz. Claro que esto no debe condenarnos a marchar por los estrechos márgenes que conducen a la simplificación o a la banalidad, sólo porque en ese nivel no se corran riesgos de incomunicabilidad. Hay espectadores y espectadores. Y hay distintos niveles de operatividad de la obra artística en el cumplimiento de su función social. A lo largo de ese diálogo entre la obra y el espectador, tanto la una como el otro se desarrollan, y es previsible que se pueda establecer una comunicación eficaz *también* en un nivel de complejidad consecuente con lo que exige una comprensión profunda de la realidad[95].

El cineasta, el creador de un producto cultural que puede alcanzar una difusión masiva, que pone en juego recursos expresivos de cierta eficacia no sólo para recrear e informar al espectador, sino también para conformar gustos, criterios, estados de conciencia, si asume plenamente la responsabilidad histórica y social que le corresponde, se ve en la necesidad inevitable de impulsar el desarrollo teórico de su práctica artística[96].

[95] Gerardo Chijona, «*La última cena*, el cine y la historia», *Cine cubano,* núm. 93, 1978, en Ambrosio Fornet, ob. cit., págs. 226-227.
[96] Tomás Gutiérrez Alea, *Dialéctica del espectador,* pág. 9.

La vertiente llamada *cine social* frecuentemente encuentra dificultades insuperables para comunicarse con el público, porque la gente no va a una sala cinematográfica a oír una conferencia o a recibir una lección de nada. Va a ver un espectáculo y si no tenemos eso en cuenta no conseguiremos expresar nuestro mensaje[97].

El cine (...) compromete muchos medios materiales; es una industria. Por lo tanto, requiere un financiamiento considerable que tiene un peso dentro de la economía y que hace que también nos interese la rentabilidad en el plano económico. El cine debe ser un espectáculo atractivo para que el público lo acepte. Pero eso no es lo único que se toma en consideración, sino que también nos interesa que resulte un buen producto en el plano cultural. Es ahí donde nuestro criterio se diferencia del de un productor capitalista.

Pretendemos que una película sea un producto con un peso cultural, que sea una experiencia enriquecedora. Quizá esas son palabras muy grandes cuando se está hablando de cine, pero para nosotros son importantes. Eso no significa que no nos interese hacer filmes de puro entretenimiento o que solamente incentivemos los de propaganda política. Por el contrario, lo que queremos es tener la mayor cantidad de opciones y estilos.

A mí me interesa que el cine sea un espectáculo atractivo y que ofrezca un disfrute estético al espectador. Eso no está en contradicción con nuestras premisas culturales. Una película se termina cuando se comunica con los espectadores y yo pretendo un cine que llegue al mayor número de personas posibles. No me interesa un cine puramente de propaganda política porque es algo circunstancial, que solamente funciona en el momento de la arenga y no opera en un público amplio ni en todo momento[98].

---

97 Silvia Oroz, ob. cit., pág. 21.
98 Silvia Oroz, ob. cit., pág. 86.

El propósito de una obra de arte es comunicar algo, y todo lo que uno dice —o sea: todo lo que uno pretende comunicar— está impregnado de ideología. Aunque la expresión no sea la más feliz, tampoco creo que esté lejos de la verdad. No me interesa el arte en función de la propaganda, ni para la difusión de una ideología: me interesa expresar mi criterio, y comunicarlo al mayor número posible de personas.

Tanto el arte como la propaganda manipulan elementos con el propósito de sembrar una inquietud o de difundir una idea. Lo significativo no es el acto de la manipulación, sino el fin que persigue: si está en función de la búsqueda de una verdad, o si intenta ocultar algo que pueda conducir a una verdad. La pretensión de un arte *objetivo* que no sea manipulador carece de sentido, porque se opone al sentido mismo del arte[99].

Es cierto que nuestro cine, para cumplir cabalmente una función social productiva, debe afrontar cada vez con más decisión la problemática contemporánea. No sólo porque de esta manera podemos ser más explícitos, más comunicativos y probablemente más profundos en la comprensión del momento que estamos viviendo, sino también porque el cine, en su inmediatez, es un valioso instrumento para testimoniar, documentar, apresar y acumular experiencia. Pero paralelamente a ese cine *del momento,* dirigimos nuestra mirada al pasado para revalorizar nuestra historia a menudo tergiversada o mal comprendida. El criterio que tenemos sobre el cine histórico no se reduce, por supuesto, a un deseo de reconstruir momentos particulares del pasado. Más allá de ese propósito, el cine histórico nos permite tomar una cierta distancia frente a los fenómenos del presente y relacionarlos en todos sus niveles. Ya no será posible contemplar la realidad como un hecho dado, inconmovible, sino como un proceso. Y lo que es más, nos ofre-

---

[99] Entrevista con el autor.

ce datos y claves para saber hacia dónde nos conduce ese proceso y en buena medida para participar en él, para actuar en el sentido que nos señala la historia[100].

Lo más importante y urgente para nosotros es reflejar nuestra realidad actual (1984), aunque también sea importante hacer películas históricas, que arrojen mucha luz sobre nuestro pasado, para hacer una interpretación correcta de nuestra historia. Pero el problema es que el cine tiene una inmediatez que permite captar aspectos de la realidad de una manera muy inmediata y muy documental. Este aspecto del cine, o esta posibilidad que tiene el cine, nos obliga a no dejar pasar estos momentos, y por eso creo que deben hacerse películas con temas de actualidad, que son las más difíciles. Hay una tendencia, quizás por acomodamiento o por la urgencia del trabajo, a tratar temas del pasado sobre los que uno tiene más objetividad y, por lo tanto, corre menos riesgos. Cuando se toca un tema de actualidad, hay siempre la posibilidad de lastimar sensibilidades, porque en una película se presentan contradicciones. Estas contradicciones están representadas por personajes; y esos personajes, a su vez, representan un grupo social determinado[101].

En cuanto al trabajo de asesoría, para mi es tan importante como mis propios logros personales como director. (...) Mi deseo no es despuntar más que los otros, satisfacer mis propias necesidades creativas a costa de mis compañeros. La realización individual no lo es todo. En una situación como la nuestra, el logro colectivo es, sencillamente, tan importante como el personal. Y no lo digo porque pretenda parecer más generoso, menos egoísta, sino porque creo firmemente en lo que estamos haciendo como grupo. Para ser completamente realista, para no parecer un santo, una criatura

100 Tomás Gutiérrez Alea, *La historia como arma. Pasado y futuro.*
101 Senel Paz, ob. cit., en Ambrosio Fornet, ob. cit., pág. 265.

extraterrena despojada de todo interés personal, quisiera expresar muy claramente que para satisfacer mis necesidades individuales como director, *necesito* que exista un cine cubano. Para descubrir mis propios aciertos personales, necesito de la existencia de todo el movimiento cinematográfico cubano. De lo contrario, aquello sería imposible. Sin un movimiento como éste, mi trabajo podría aparecer como una especie de *accidente* dentro de una tendencia artística determinada. Bajo tales circunstancias, uno puede disfrutar de cierto grado de reconocimiento, pero sin alcanzar siquiera el nivel de realización personal al que uno realmente aspira. Eso no se mide por el nivel de reconocimiento que uno mismo logre, sino más bien por la convicción de que uno está dando todo lo que puede y de que el medio en que trabaja le garantiza a uno esa posibilidad[102].

LA CRÍTICA Y LA CENSURA

Uno siempre puede ser víctima de una mala interpretación por las cosas que hace. ¿Qué es lo que tiene que hacer uno si es mal interpretado? Pues discutir, convencer y tratar de que su criterio se abra paso. Y eso es lo que he hecho siempre... Cada vez que voy a hacer una película sé que voy a encontrar mil obstáculos, no solamente problemas técnicos o problemas financieros o problemas de puesta en escena, artísticos, sino problemas con gente que no entienda o que mal entienda lo que uno quiere hacer. Entonces, lo único que puedo hacer es tratar de convencerlos y así es como hemos hecho todas las películas, y me parece que eso no pasa solamente en Cuba, sino en cualquier parte del mundo. El cine siempre compromete recursos económicos bas-

[102] Julianne Burton, entrevista publicada en *Cineaste,* 1977, antologada en *Rueda de prensa,* en Ambrosio Fornet, ob. cit., págs. 339-340.

tante grandes. Por lo tanto, hay intereses que están en juego y hay gente que tiene que decidir si se hace o no se hace o cómo se hace. Y no siempre se acierta. Ese es un riesgo que siempre se corre. No veo que el hecho de que vivamos en el socialismo implique que nosotros tenemos límites más estrechos para expresarnos[103].

No hay un comité de censura en el Instituto (Cubano del Arte e Industria Cinematográficos) que te diga haz esto o lo otro. *Memorias del subdesarrollo,* por ejemplo, fue polémica. Mucha gente pensó que se trataba de una película contra la revolución porque hacía crítica. Cuando usted ve ese filme en su contexto, cuando usted conoce cuáles fueron sus efectos en el público, puede entender por qué se trata de una película *de* la revolución. Pero esa es una apreciación tan sutil que está sujeta a errores. Si usted es un burócrata, no será capaz de entender tales sutilezas[104].

A ninguno de nosotros (los cineastas cubanos) nos interesa hacer una película para destruir la revolución o para darle armas al enemigo que quiere destruirnos. Nos interesa fortalecernos. Entonces, para que la revolución crezca, para que nuestro país se desarrolle en un sentido positivo, es necesaria la crítica. Es necesario tener una conciencia crítica de lo que somos y de lo que estamos haciendo. Y estarnos criticando constantemente. Por lo tanto, no es una crítica para destruir, sino para transformar en un sentido positivo. Claro, como la diferencia es a veces muy sutil, a veces te puede lucir como que estás caminando por una cuerda floja y que es bien difícil[105].

No creo que sea necesario hablar de una *censura solapada:* (existe) una censura que tú puedes justificar,

103 Guillermo González Uribe, ob. cit., pág. 8.

104 Amrita Abraham, «To be critical is to make a militant film for the Revolution», *The Sunday Observer,* Nueva Delhi, 21 de octubre, 1984, pág. 24. Traducción de J. A. E.

105 Guillermo González Uribe, ob. cit., pág. 9.

o no. Se justifica, en buena medida, por las razones que todos conocemos: el enfrentamiento de la revolución a un enemigo poderosísimo al que no nos interesa facilitarle armas. Ese ha sido, y es, un buen argumento *en abstracto*. Pero cuando vas a *lo concreto,* te das cuenta de que cualquier cosa se puede convertir en darle armas al enemigo. Esa es la discusión que tenemos planteada ahora.

No se trata de negar la existencia de un enemigo en acecho; no tenemos que decírnoslo todos los días. Pero eso no puede servir de pretexto, como ha servido infinidad de veces desde hace mucho tiempo; que nos agiten el fantasma del imperialismo para justificar cualquier cosa.

Hay que defender la necesidad de crítica como una necesidad de la revolución para sobrevivir. Si no tomamos conciencia de nuestros problemas, no podemos resolverlos. Para el desarrollo de la revolución es fundamental la crítica de la revolución, y esto no puede confundirse con darle armas al enemigo.

Nuestro silencio es hoy la mejor arma con que pueden contar los enemigos de la revolución.

(...)

Para hacer mis películas siempre he tenido que discutir, y casi siempre he podido hacer lo que he querido. Sigo pensando que, cuando no lo he logrado, ha sido por errores de interpretación. Pero no se puede hablar de censura solapada: hay que asumirla. Si partimos de hacer este reconocimiento, llegamos a un punto más avanzado de la discusión, y es que no siempre estamos de acuerdo en cuáles deben ser los límites.

En el ICAIC hemos tenido una circunstancia favorable: no lo dirigen ni lo han dirigido nunca cuadros administrativos, sino cineastas con una visión amplia, inteligente y revolucionaria que, hasta cierto punto, nos ha permitido realizar unas cuantas cosas que valen la pena. Los obstáculos suelen venir de otras áreas.

(...)

Hay que luchar, incluso, por el derecho a equivocarse. Aquí se ha equivocado —al menos una vez— todo el mundo; no hago ninguna excepción. ¿Por qué no va a tener el artista el derecho de cometer errores? Déjemosle que pueda responsabilizarse con lo que dice, y juzguémosle entonces. Lo que no puede ser es que siempre haya alguien con derecho a decirte: *Eso no puede ser*[106].

LA MANIPULACIÓN POLÍTICA DEL ARTE

Se habla mucho de paz y de coexistencia pacífica entre regímenes sociales diferentes. Y de no coexistencia pacífica en el plano de la ideología. Y por ese camino se llega (se ha llegado) hasta a acusar de enemigos del socialismo a los pintores abstractos. ¿Quiere decir que para los que piensan de tal manera es posible coexistir pacíficamente con el imperialismo y no es posible coexistir pacíficamente con un pintor abstracto?[107].

Ingenuo o perspicaz, el cineasta estará siempre, en mayor o menor medida, expuesto a que su obra sea manipulada en beneficio de intereses distintos de los que la motivaron. *En mayor o menor medida*, pues también es verdad que *unas obras son más manipulables que otras*. Y bueno es señalar de paso que no siempre las que parecen ajustarse más a los cánones ortodoxos desde el punto de vista político e ideológico resultan las menos susceptibles de ser manipuladas[108].

Es en el cine donde (el) mecanismo (de la manipulación) se descubre de una manera más objetiva porque el cineasta trabaja con imágenes —y sonidos— que consti-

---

[106] José Antonio Évora, «El rábano por la raíz», *Juventud Rebelde,* La Habana, 10 de septiembre, 1988, págs. centrales.

[107] Tomás Gutiérrez Alea, «Notas sobre una discusión de un documento sobre una discusión (de otros documentos)», *La Gaceta de Cuba,* La Habana, núm. 29, 5 de noviembre, 1963, pág. 5.

[108] Tomás Gutiérrez Alea, *Dialéctica del espectador,* pág. 61.

Mirta Ibarra y Tomás Gutiérrez Alea. 1973

tuyen un material capaz de proporcionar, más que el material propio de las otras artes, una *ilusión de realidad*. Fragmentos de la realidad son aislados, separados de su propio contexto y dispuestos de tal manera que signifiquen algo específico y a veces algo muy distinto de lo que significarían en otro contexto. Por eso podemos decir que el cine mismo es una de las manifestaciones más evidentes de lo que podríamos llamar el *arte de la manipulación,* ya que los filmes constituyen el resultado de una operación de *manipulación* del cineasta sobre los elementos —el material— que le ofrece la realidad en su sentido más amplio. Y se comprende entonces que cada filme constituye a su vez un fenómeno de la realidad que, aun cuando se respete su integridad formal, es decir, sin necesidad de realizar cortes o de introducir cambios en la edición (montaje) de los mismos, puede ser objeto de manipulación. Basta sacarlo del contexto que le es propio para que se vean en el mismo *otras cosas,* para que se cargue de nuevos significados.

Pero, sea en el cine con los elementos de la realidad o en la realidad con las obras cinematográficas, el éxito de la *manipulación,* su alcance o eficacia depende de muchos y muy complejos factores, no sólo de las posibilidades que ofrece el material mismo utilizado, o de la habilidad con que se realice la operación. Y en última instancia, lo que importa es saber si lo que se pretende es revelar u ocultar o tergiversar el profundo significado de la realidad tratada (es decir, si la *manipulación* se realiza en función de la verdad o de la mentira...)[109].

LA REVOLUCIÓN CUBANA

Podemos esperar que esta Revolución no ha de detenerse en medidas superficiales de saneamiento. La Revolución no es sólo la fuga de un tirano. Ya se sabe. No es sólo el establecimiento de la libertad de prensa, la supresión de las torturas, el afincamiento, por primera vez, de la honestidad administrativa, el castigo a los culpables, las depuraciones, etcétera. La Revolución, esta Revolución, va más lejos. Hay sobradas razones para pensar que esto será así. La victoria sobre el pasado régimen no fue obra de militares o de civiles a espaldas del pueblo; no fue obra de un pequeño grupo de valientes sin compromisos con un pueblo en el que el crimen y el robo y el sometimiento se habían hecho costumbre. La Revolución tuvo un proceso largo y difícil. Y al pasar por este desesperante camino sembrado de muerte es que fruteció y maduró la conciencia del pueblo. Así pudo caer el tirano en la mejor de las formas: empujado por el pueblo entero[110].

---

109 Tomás Gutiérrez Alea, *Dialéctica del espectador,* pág. 63.
110 Tomás Gutiérrez Alea, «El cine y la cultura», *Cine cubano,* número 2, 1960, en Ambrosio Fornet, ob. cit., pág. 273.

Con la Revolución, la mentalidad de nuestro pueblo ha sufrido un cambio radical. Ha dado un salto gigantesco que es, además, irreversible, pues nos compromete con un futuro al cual ya no estamos dispuestos a renunciar. Ese salto puede cumplirse plenamente en un nivel intelectual tan pronto como llegan a conocerse algunas cosas que antes estaban ocultas. Uno se dispone entonces a luchar por todo aquello que constituye nuestra verdad recién descubierta, por todo aquello que constituye nuestra razón de ser y de estar en el mundo. Pero no basta. Todo lo que vislumbramos como una posibilidad al alcance de la mano está más lejos de lo que parece a primera vista. La nueva verdad es radical. Presupone no sólo una nueva sociedad, una nueva mentalidad, sino también un hombre nuevo. Y eso parece que requiere aún más tiempo. Mientras, tenemos que vérnosla con estos hombres que somos, y seguir luchando...[111].

Hay una raza especial de gente con la que tenemos que convivir, con la que tenemos que contar, para nuestro disgusto cotidiano, en esto de construir la nueva sociedad. Son los que se creen depositarios únicos del legado revolucionario; los que saben cuál es la moral socialista y han institucionalizado la mediocridad y el provincianismo; los burócratas (con o sin buró); los que conocen el alma del pueblo y hablan de él como si fuera un niño muy prometedor del que se puede esperar mucho, pero al que hay que conocer muy bien, etcétera, etcétera (y nos parece estarlos viendo, con el brazo protector por encima de los hombros de ese niño); son los mismos que nos dicen cómo tenemos que hablarle al pueblo, cómo tenemos que vestirnos y cómo tenemos que pelarnos; saben lo que se puede mostrar y lo que

111 Tomás Gutiérrez Alea, «Memorias del subdesarrollo: notas de trabajo», *Cine cubano,* núm. 45-46, 1968, en Ambrosio Fornet, ob. cit., pág. 92.

no, porque el pueblo no está maduro todavía para conocer toda la verdad; se avergüenzan de nuestro atraso y tienen complejo de inferioridad nacional[112].

Después de Playa Girón, comenzó un nuevo período. El hecho revolucionario había tenido hasta ese momento una gran dosis de espontaneidad, de arranque vital, y eso era el elemento determinante en su desarrollo. Lo de Playa Girón fue un catalizador a través del cual la Revolución alcanzaba una nueva dimensión y se definía y tomaba más conciencia de sí misma. A partir de ese momento en que se consolida, en que el pueblo armado se pone a prueba en una acción militar de alguna envergadura, en que se fortalece de una manera evidente, aquel sentimiento de provisionalidad en que vivíamos se transforma. Paradójicamente, el sentimiento de *provisionalidad* toma un carácter permanente desde el momento en que tenemos conciencia de que esa victoria aplastante sobre las fuerzas de la contrarrevolución no será sino la primera gran victoria y que la lucha va a continuar de una manera *estable*. En ese momento la Revolución define su línea y su meta. Somos fuertes y estamos lo suficientemente unidos para acometer la empresa más difícil, la transformación más radical de nuestra sociedad. Ya sabemos que cualquier nuevo paso que se da significa una lucha y ésta es consecuencia y fuente de contradicciones. La nueva línea requiere una mayor racionalización de nuestras actividades. La racionalización demanda una actitud más crítica, una mayor capacidad de análisis. Se analizan y corrigen antiguos errores e inevitablemente se cae en otros nuevos, que a su vez serán analizados y rectificados. Con la nueva línea trazada se cae en la tentación de las fórmulas para llegar a soluciones fáciles. Pero las soluciones nunca son fáciles, y deben brotar de nuestra propia realidad.

---

112 Tomás Gutiérrez Alea, «Memorias del subdesarrollo: notas de trabajo», en Ambrosio Fornet, ob. cit., pág. 98.

Los caminos son complicados y tortuosos. Felizmente, los errores que se pueden cometer, acentúan la capacidad crítica que va a ponerlos en evidencia[113].

La Revolución trasciende el plano nacional. Y en el caso nuestro, de Cuba, esto es particularmente sensible. Cuba no es un planeta, en el sentido en que puede hablarse, digamos, de China, no sólo por su geografía, sino también por su historia. Cuba no puede autoabastecerse culturalmente, y no puede resignarse a ser una isla. Sus relaciones con el resto del mundo son vitales. Si esto es claro en el plano de la ciencia, la técnica y la política, parece que no se presenta tan claramente en el caso de la cultura. Por los menos para algunos[114].

La conveniencia o la necesidad de una contrapartida artística de (la) vanguardia política no ha sido siempre cabalmente comprendida por todos a lo largo de estos diez años de Revolución. Así, a nuestras limitaciones naturales de país subdesarrollado en todo sentido, con un alto porcentaje de analfabetismo y una evidente pobreza cultural, se unieron las limitaciones que nos imponía un bloqueo de afuera y, lo que es peor, las limitaciones que a veces nos imponía un bloqueo de adentro. Esto último, digámoslo, no fue la *línea* de la Revolución. Fue solamente una manifestación aguda de una de las tendencias que iban apareciendo a lo largo del proceso. Esta situación se hizo más evidente en la música que en cualquier otra manifestación artística. A partir del momento en que algunos descubrieron connotaciones imperialistas o contrarrevolucionarias en la música extranjera, particularmente la de procedencia anglosajona, se empezó a poner en práctica el autobloqueo. Nos vimos privados entonces de poder discernir cuáles devenían

---

[113] Tomás Gutiérrez Alea, «Mi posición ante el cine», *Cine cubano,* núm. 23-25, en Ambrosio Fornet, ob. cit., págs. 298-299.

[114] Tomás Gutiérrez Alea, «Vanguardia política y vanguardia artística», *Cine cubano,* núm. 54-55, 1969, en Ambrosio Fornet, ob. cit., pág. 304.

las posiciones más *novedosas, modernas* y *consecuentes,* las tendencias *transformadoras* más auténticas, las que iban a constituir la *vanguardia* en el campo musical. Por esa y otras circunstancias coincidentes, nuestra música fue atravesando una fase de desnutrición, anemia y estancamiento que la ha dejado muy mal parada. El resto, ya se sabe. Cuando se pretendió poner fin a tan estricto autobloqueo, se vio que nuestra música ya no podía colocarse en el mismo nivel que esa otra música que, mientras nosotros no la escuchábamos, había alcanzado un alto grado de desarrollo. A la nuestra, en cambio, le había sucedido lo mismo que a esas familias que viven en lugares recónditos, sin contacto con el resto del país y cuya descendencia monstruosa es el producto de uniones entre padres e hijos, hermanos y hermanas, primos, tíos, etcétera. Nuestra música había sufrido una lamentable involución[115].

Vivimos en una isla en todos los sentidos: nos hemos aislado demasiado. Culturalmente hemos venido empobreciéndonos; no recibimos los estímulos de tantas y tantas cosas que en el mundo se producen a diario, que salen en las revistas, que se discuten en la televisión, y que mantienen un ritmo ya inaprehensible para nosotros, porque vivimos en una isla donde la vida se ha adormecido. Si pretendemos comunicarnos con el resto del mundo, deberíamos tener en cuenta que no somos el mundo[116].

Se empezó por idealizar al hombre y, consecuentemente, se sustituyeron los incentivos materiales por incentivos morales, más acordes con un hombre libre de egoísmos y con un nivel superior de conciencia social. Como la realidad no se comportaba de acuerdo con las expectativas, fue necesario un reajuste. Había que pro-

---

115 Tomás Gutiérrez Alea, «Vanguardia política y vanguardia artística», en Ambrosio Fornet, ob. cit., págs. 304-306.
116 Entrevista con el autor.

ducir ese nuevo hombre a toda costa. Los mecanismos económicos que obligan a trabajar al hombre en el capitalismo se sustituyeron por prédicas morales y consignas políticas. Al mismo tiempo se incrementó la vigilancia y la prensa nos informaba día tras día que vivíamos en el mejor de los mundos posibles.

Y, para alcanzar esas aspiraciones a corto plazo, la revolución se dio el lujo de cometer los más variados errores en la elaboración de una política económica cuyos rasgos esenciales, mantenidos persistentemente, han sido el idealismo, el paternalismo, el voluntarismo y la falta de sentido práctico[117].

Hasta tal punto se desarrolló el voluntarismo que se pensó que podíamos saltar por encima de las leyes que dicta la condición humana, leyes que no pueden ser burladas impunemente. Las mismas leyes que de alguna manera están en la base de la concepción materialista de la historia, las que guiaron a Marx y a Lenin[118] para

---

[117] Resulta interesante ahora recordar cómo, después del fracaso de la famosa Zafra de los Diez Millones, se tomó conciencia de esta situación y se apuntó una voluntad de cambio. Véanse estos párrafos de un discurso de Fidel Castro el 26 de julio de 1973, que se apoya en un texto clásico (*Crítica del programa de Gotha*): «Será nuestro deber en los próximos años elevar al máximo la eficiencia en la utilización de nuestros recursos económicos y humanos. Llevar la cuenta minuciosa de los gastos y los costos (*Aplausos*). Y los errores de idealismo que hayamos cometido en el manejo de la economía saberlos rectificar valientemente (*Aplausos*) (...) Es cierto que muchos de nuestros obreros son verdaderos ejemplos de comunistas por su actitud ante la vida, su conciencia superior y su extraordinaria solidaridad humana. Ellos son la avanzada de lo que un día deberá ser toda la sociedad. Pero pensar y actuar cual si ya esa fuese hoy la conducta de todos sus componentes, sería un ejemplo de idealismo cuyo resultado se traduciría en forma igualmente adversa a la economía.» (Nota de T. G. A.)

[118] Véase a propósito lo que dice Lenin en un discurso con motivo del IV aniversario de la Revolución de Octubre: «Llevados de una ola de entusiasmo, después de despertar en el pueblo un entusiasmo al principio político general y luego militar, calculábamos realizar directamente, sirviéndonos de ese entusiasmo, tareas económicas de la misma magnitud que las tareas políticas generales y las militares. Calculábamos —o quizá sea mejor decir suponíamos, sin haber calcu-

mantener en todo momento los pies sobre la tierra por muy alto que volaran sus pensamientos. Martí, por su parte, también reconoce su existencia cuando nos advierte que «quien intente mejorar al hombre no ha de prescindir de sus malas pasiones, sino contarlas como factor importantísimo, y ver de no obrar contra ellas, sino con ellas»[119]. Ni Marx, ni Lenin, ni Martí osaron pasar por alto lo que nos advierte Bacon: «Para dominar la naturaleza es preciso obedecerla»[120].

Y a mi juicio aquí rozamos lo más importante, la clave de nuestros problemas principales: el objetivo fundamental de la revolución es el hombre, el mejoramiento del hombre, el perfeccionamiento de la condición humana. O, como se ha repetido tantas veces, la creación de un hombre nuevo, más humano, que pueda vivir en una sociedad más justa, consciente de su responsabilidad social. Por un legítimo afán de justicia social, de pureza ideológica, la revolución llegó casi a ignorar los intereses personales del hombre, sus necesidades individuales. Al menos tendió a minimizar esos intereses y quiso hacer coincidir, a fuerza de consignas, prédicas morales y exhortaciones, al hombre que somos con un

___

lado suficientemente— que con órdenes directas del Estado proletario podríamos organizar al modo comunista, en un país de pequeños campesinos, la producción estatal y la distribución estatal de lo producido. La vida nos ha hecho ver nuestro error. [Serán] necesarias diversas etapas transitorias —el capitalismo de Estado y el socialismo— para preparar el paso al comunismo con el largo trabajo de una serie de años. Esforzaos por construir al comienzo sólidos puentes que, en un país de pequeños campesinos, lleven al socialismo a través del capitalismo de Estado, no basándoos directamente en el entusiasmo, sino en el interés personal, en la ventaja personal, en la autogestión financiera, valiéndoos del entusiasmo engendrado por la gran revolución. De otro modo no os acercaréis al comunismo, no llevaréis a él a decenas y decenas de millones de hombres. Eso es lo que nos ha enseñado la vida, lo que nos ha enseñado el desarrollo objetivo de la revolución.» (Nota de T. G. A.)

[119] Martí, *Maestros ambulantes,* Obras completas, t. VIII, pág. 291, (Nota de T. G. A.)

[120] Francis Bacon, *Nuevo Órgano.* (Nota de T. G. A.)

modelo ideal de hombre concebido como producto de las mejores intenciones.

Un día se dijo que los relojeros no podían seguir trabajando por su cuenta, separados unos de otros, pues ese aislamiento estimulaba el egoísmo y propiciaba el desarrollo de una mentalidad individualista, pequeño-burguesa. Velando por la conciencia de estos dignos trabajadores en peligro de contaminación ideológica, se concibió la idea de reunirlos en un *consolidado*, hacerlos trabajar en cadena, como en las grandes fábricas, de manera que así irían poco a poco comprendiendo lo que significa la cooperación y la solidaridad que hace fuerte e invencible a la clase obrera. Ellos mismos, gracias al consolidado, se convertirían poco a poco en verdaderos proletarios. Así fue que un buen día les nacionalizaron sus pinzas, sus destornilladores y demás instrumentos de trabajo y los pusieron a trabajar en un centro administrado por el Estado, un gran taller en el que los relojeros desarrollaban su labor en conjunto, dirigidos por un administrador con su secretaria y acompañados por otros trabajadores que se ocupaban de las tareas complementarias pero no menos necesarias de organización, contabilidad, finanzas, mantenimiento, vigilancia, recepción, entrega, coordinación, limpieza, y todo lo que uno puede imaginar que debe existir en un centro de trabajo que se respete. A partir de ese momento poco a poco empezamos a sentir que los relojes ya no tenían tanta importancia, que el tiempo ya no se medía por horas y minutos y mucho menos por segundos. Apenas si contaban los días. Lo que contaban cada vez con más presencia eran las semanas, los meses, los años... Y así, cuando uno llevaba un reloj a arreglar al consolidado, muy tranquilamente le decían que regresara a buscarlo dentro de seis meses o un año. El mismo tipo de arreglo que antes un relojero individualista podía realizar de un día para otro o al máximo demorarse una semana. Un relojero proletario parece que toma las cosas con más calma, más sosegadamente.

Guantanamera

Este ejemplo trasciende la pura anécdota y alcanza un valor de símbolo. El tiempo ha comenzado a tener otro peso, otra manera de hacerse notar. Y esto no puede escandalizar a nadie porque ha pasado a ser *lo normal*. Dificultades y obstáculos cada vez más absurdos que no se le pueden atribuir a ningún enemigo malvado han ido pasando al plano de la cotidianeidad, se han convertido en lo *normal*. ¿Es que con ese sentido del tiempo vamos a propiciar el tan mentado *desarrollo impetuoso de las fuerzas productivas?*

Al intentar vanamente suprimir las contradicciones en la realidad viva —viva en tanto se desarrolla precisamente a partir de las contradicciones—, se frenó en muchos aspectos esenciales el desarrollo de la vida. Si las contradicciones en el plano de la realidad no se encauzaban debidamente, se eliminaban en el plano de la propaganda. A partir de entonces la revolución quedó atrapada en su propio mito.

Y a partir de ese momento sentí que se perdía algo muy valioso y que la revolución empezaba a parecerse peligrosamente a la caricatura que sus enemigos habían hecho de ella.

(...)

Desde la ineficiencia en los servicios hasta la casi absoluta inexistencia de plomeros, carpinteros, electricistas, albañiles, mecánicos... pasando por la necesidad de hacer cola para casi todo pues los burócratas son torpes por definición, la imposibilidad de comprar materiales necesarios para arreglar cualquier cosa, lo mismo un salidero de agua que un techo que se derrumba... eso y mucho más que haría la lista interminable, obliga a *todo* ciudadano en este país en algún momento de su vida a transgredir la ley, las disposiciones oficiales, las orientaciones que bajan de la alta dirigencia de la Revolución. ¿Quién no ha tenido que acudir alguna vez o muchas a eso que llaman bolsa negra? Se hicieron tan estrechos los márgenes dentro de los cuales uno puede sentirse moralmente limpio y legalmente a salvo que no quedó más remedio que saltar por encima de ellos. Por simple necesidad de sobrevivir, de no sentirnos maltratados en demasía por el destino, tuvimos que hacer cosas tan necesarias como condenables por las nuevas normas.

No es necesario enumerar todos los errores cometidos a lo largo de estos años en el campo de la economía, entre los que se destacan las costosas movilizaciones de trabajo voluntario que no rebasaban un carácter simbólico, el quimérico horario de conciencia, el lamentable Cordón de La Habana, la infausta Ofensiva Revolucionaria, la imposible Zafra de los Diez Millones, la apresurada eliminación del turismo durante casi treinta años y, más recientemente, los míticos programas alimentarios y los absurdos e inconmovibles mecanismos de retribución que en lugar de estimular la productividad estimulan la corrupción.

Sabíamos muy bien que la vida en este país no llegaba a ser un modelo de realización del ser humano, pero la razón, el crudo análisis nos invitaba a aceptarla como una consecuencia de errores y distorsiones que podían y debían ser subsanados. A pesar del altísimo precio que ha habido que pagar por ellos, algunos de esos errores parecían excusables por la inexperiencia y la novedad del proyecto. No se podía esperar que las cosas fluyeran fácilmente. Sabíamos que en el socialismo hay que inventar los mecanismos económicos desde la base hasta los últimos detalles y eso no puede hacerse sin un margen de error considerable. Sabíamos todo eso y teníamos la cándida esperanza de que más tarde o más temprano se alcanzaría la flexibilidad que haría posible ajustar esos mecanismos a las necesidades reales con un sentido más humano y a la vez más práctico. Durante mucho tiempo se hablaba de errores de las personas encargadas de administrar tal o cual parcela de nuestra sociedad. La persistencia de esos *errores* durante más de treinta años me lleva a pensar que no se trata precisamente de errores, sino de actos de absoluta coherencia con los mecanismos económicos de nueva creación. A estas alturas, si de algún error puede hablarse, es del sistema económico mismo, tal como ha sido implantado entre nosotros, como un gigantesco error.

(...)

Hace treinta años, cuando apenas habían transcurrido los primeros meses después del triunfo de la Revolución, cuando todo empezaba a afirmarse entre nosotros, cuando vivíamos la ilusión de estar de veras convirtiendo a este país en algo vivo, naciente, lleno de fuerza y belleza —la belleza de lo justo, de lo necesario—, cuando sentíamos que se cumplía el deseo, tuve la clara impresión de que habíamos llegado a lo que puede llamarse, utilizando un término propio de la dramaturgia, un *clímax,* un punto culminante, y que a partir de ahí la cotidianeidad iba a empezar a manifestarse persistentemente, iban a generarse nuevos conflictos y poco a poco íbamos a tropezarnos con nuevas miserias —quizás las mismas, con otro rostro— y tuve una extraña sensación de temor. Hoy creo que hemos llegado a lo que tanto temía. Pienso que ha sido bueno haber vivido hasta aquí porque de alguna manera he participado y he podido decir algunas cosas en las que creo.

En todo caso, ahora, cuando se abren tantas interrogantes, no quisiera retirarme. No quisiera terminar en este momento de incertidumbre[121].

Cine cubano

Para comenzar, vamos a tocar un punto importante de la cuestión: *qué tipo de obras resulta más apto para la creación de una industria nacional de cine.*

De una parte tenemos la actitud de algunos puristas que rechazan toda idea de cine comercial, porque lo consideran poco artístico. Estos diletantes de la cinematografía aseguran que una buena película artística no tiene éxito de público. Tal actitud acentúa la reacción de los comerciantes, que formulan la misma idea invirtiendo los términos. Estos dicen: debemos rechazar toda intención de hacer arte en nuestras películas, porque las películas comerciales no pueden tener preocupaciones artísticas. Aquellos son partidarios de un cine de arte, para elegidos, sin complicaciones comerciales (no sabemos con qué pretenden realizarlo); y los otros son partidarios de un cine comercial sin complicaciones artísticas (equivale a decir, en el peor de los casos: hagamos un producto de baja calidad, que es el que mejor satisface los deseos del público consumidor... y van en busca de fórmulas comerciales por el estilo de unas que publicó un periódico norteamericano: 50% de escenas sentimentales: besos, paseos a la luz de la luna, cabaret...; 20% de

---

[121] Tomás Gutiérrez Alea, *Las trampas de la (fe) política,* julio de 1992. Del original del autor.

atracciones diversas: *music-hall,* circos..., y 10% de incendios, escenas policíacas...). La poca vigencia de las llamadas *películas de arte,* el fracaso comercial de las fórmulas comerciales, y el auge creciente del cine italiano demuestran la escasa validez de tales posiciones.

(...)

Lo que puede interesar de Cuba, dentro y fuera de sus límites, es aquello que hay de cubano en las manifestaciones de su pueblo, la sinceridad con que nos situemos frente a nuestros problemas. Porque por suerte el hombre siempre es el mismo y las manifestaciones populares de cualquier país son comprendidas y compartidas en el resto del mundo. (...) Lo único que varía son las circunstancias externas, y si estas se presentan claramente, es interesante saber cómo se resuelve el conflicto en esas circunstancias dadas. (Que no son jamás extravagantes, porque han sido creadas por la historia.)

(...)

La primera realidad del cine en Cuba es el oportunismo, el pensar siempre en una actitud provisional. Siempre ha existido aquí el cine como un modesto negocio que se aprovecha de ciertas debilidades para lograr una pequeña ganancia. Los primeros improvisadores dan una medida falsa de lo que puede significar el cine en nuestro país y provocan una excesiva cautela en aquellos capaces económicamente de impulsar el desarrollo de esta industria. Crean un círculo vicioso y hacen difícil comprender que el cine no es un lujo ni un negocio de los que se improvisan, que el cine es una necesidad, una gran industria y que puede convertirse en una principalísima fuente de riquezas. Es que no basta tener dinero para producir películas. Es necesario que esas películas tengan una precisa orientación capaz de interesar a un vasto público y de estimular la inversión de nuevos capitales[122].

---

[122] Fragmentos de la conferencia pronunciada por T. G. A. el jue-

Entre (1960 y 1962) transcurrieron dos años que constituyeron un período de acontecimientos riquísimos para Cuba. Las relaciones con los Estados Unidos se ponen cada vez más tensas hasta que se rompen en 1961 y es en esa época que se produce la invasión a Bahía de Cochinos o Playa Girón, como la llamamos nosotros. A fines de 1962 tenemos la Crisis de Octubre, con la que culmina una etapa de agresiones desenmascaradamente violentas. En esos años comenzaron a nacionalizarse las industrias, pero mantener el ritmo de la economía sobre nuevas bases era muy difícil. Fueron los tiempos en que comenzamos a sufrir el bloqueo económico y escaseaba de todo aquí, hasta medicamentos.

Específicamente en el ICAIC estábamos formando directores para constituir una industria cinematográfica y a la vez hacíamos películas[123].

Los únicos directores que teníamos (entre 1962 y 1963) éramos Julio García Espinosa y yo. Desde el principio se sumó García Ascot, que era español de origen y residía en México. También estuvo en los primeros tiempos de la revolución Oscar Torres, que era un dominicano que había estudiado en Italia con nosotros y que aquí filmó *Realengo 18* y algunos documentales. Luego se fue para Puerto Rico, donde murió poco tiempo después. (...) En el ICAIC coincidimos en que sería útil importar algunos directores, porque también nos transmitirían su experiencia. Había mucha gente interesada en el proceso nuestro que estaba dispuesta a trabajar aquí. Vinieron por su cuenta Agnès Varda, Chris Marker, Joris Ivens, Theodor Christensen y otros, quienes nos ayudaron en el área del documental. Pero era en el largometraje de ficción donde necesitábamos más asistencia, aprendizaje y desarrollo. Filmaron aquí Mijail Ka-

---

ves 17 de junio de 1954 en la Sociedad Cultural Nuestro Tiempo (junto con otra de Julio García Espinosa), a raíz de su regreso de Italia. Del original de T. G. A.

[123] Silvia Oroz, ob. cit., págs. 71-72.

Tomás Gutiérrez Alea con Robert Redford.
Sundance, junio 1989

latazov, Armand Gatti, entre otros, y esa experiencia nos
dejó un saldo positivo aun cuando esas películas no son
representativas de lo que es nuestra cinematografía.

(...)

El trabajo con esos directores sí nos dio alguna enseñanza, pero la experiencia duró poco porque nos dimos
cuenta que no era posible hacer películas cubanas con
directores extranjeros. Vimos que teníamos que hacerlas
con nuestra gente y crecer juntos asumiendo nuestros
déficits[124].

Nuestra realidad era muy rica y cambiante. En la calle sucedían constantemente cosas que llamaban la aten-

[124] Silvia Oroz, ob. cit., págs. 87-88.

ción, que resultaban interesantes en sí mismas. Por lo tanto, la cámara era el instrumento idóneo para, sin mucho esfuerzo, lograr cosas interesantes. Hay muchos documentales de esa época que se los ve ingenuos en la manera de afrontar el tema, pero que siguen siendo interesantes por la realidad que captan. Eso hizo que, rápidamente, se desarrollara un movimiento documental que cuajó en algunas obras de gran importancia.

En ese período yo formaba parte del Consejo de Dirección del ICAIC, del Departamento de Cortometrajes y del Departamento Técnico, que también había que desarrollar.

A pesar de que en esos años era mucho más joven y tenía más energía que hoy, eran demasiadas tareas administrativas las que me alejaban de lo más importante que yo podía hacer: películas. Así fui abandonando tareas administrativas y solamente continué, hasta hoy, con los trabajos de asesoría[125].

Cuando se implantó el bloqueo norteamericano contra Cuba, entre otras cosas dejaron de vendernos cine. En ese momento las salas quedaron vacías, no había que estrenar. Hubo que acudir a cualquier cosa. Se compraron películas indiscriminadamente, donde se pudo, para llenar las pantallas. Inmediatamente se cortó la corriente de público. La gente no quería ver esas películas, porque no estaban acostumbrados a ellas, aparte de que se habían comprado sin tener en cuenta su calidad ni el gusto de nuestro público. Fue un momento de crisis muy inquietante. Pasó el tiempo y empezamos a escoger lo que comprábamos y a promover lo que podía resultar interesante. Poco a poco la gente comenzó a responder. Más tarde se empezó a poner también cine norteamericano; dondequiera que lo encontrábamos, si nos interesaba, hacíamos copias. Se llegó a la situación de que este cine, que seguía siendo atractivo, comenzó

---

[125] Silvia Oroz, ob. cit., págs. 72-73.

a competir con películas checas, o brasileñas, o argentinas de gran éxito. La primacía del cine norteamericano cesó, y ni hablar al lado del cine cubano, que suele ser muy atractivo para nosotros mismos. Cuando aquí un filme cubano tiene éxito, es el de mayor éxito; está pasando con *¡Plaf!*, de Tabío. Es un fenómeno muy alentador[126].

Creo que 1968 fue un año excepcional: entre 1967 y 1969 se produjeron filmes como *Las aventuras de Juan Quinquín, Lucía, Memorias del subdesarrollo, La primera carga al machete;* incluso *Girón,* aunque apareció poco más tarde, se nutrió del espíritu de aquella época. Eran momentos en los cuales se revelaba y consolidaba un estilo, un modo *cubano* de asumir la realización cinematográfica. Después de 1968 ha habido altas y bajas, pero se ha hecho un considerable número de películas. Creo que desde 1968 hasta ahora (1979), lo que alcanzamos entonces ha entrado en un proceso de reafirmación y purificación, de manera que hoy se puede hablar de filmes más maduros. Sin embargo, también es cierto que no volvieron a aparecer casi simultáneamente unas cuantas películas significativas; que el proceso se hizo más lento.

(...)

En cierta medida, (la integración del documental con la ficción) se verifica ahora en niveles más complejos, y el motivo es que seguimos encontrando en ella una forma provechosa de aproximación a la realidad. Por eso se ha convertido en algo tan natural y orgánico dentro del cine cubano: permite trabajar en varios niveles de aproximación a la realidad dentro de una misma película. La confrontación entre esos niveles, sus relaciones, son muy productivas, y aportan luz al análisis que uno pretende hacer. Pensamos, sin embargo, que

---

[126] Paula Mellid, «Habla un fundador del cine cubano», resumen semanal de *Granma,* La Habana, 19 de marzo, 1989, pág. 7.

en este procedimiento no puede reconocerse una fórmula, ni un estilo, sino sencillamente una actitud. No se trata de un estilo realista basado en una fórmula, sino de una actitud realista hacia la creación cinematográfica.

(...)

Porque, decididamente, ningún documental es reproducción de la realidad, salvo en sentido figurado, desde el momento en que usted manipula elementos de la realidad y el producto final es el resultado de un individual concepto de esa realidad; el concepto formado durante el trabajo[127].

Hoy (1985) podemos hablar de una cinematografía cubana; no sólo de películas, sino de un movimiento con cierta coherencia, con un peso, que se desarrolló a lo largo de estos años tanto en el largometraje de ficción como en el género documental. Esas obras tienen la virtud de mostrarnos al resto del mundo y ante nosotros mismos.

Ese nivel de autenticidad, que para nosotros es fundamental porque carecíamos de una tradición cinematográfica, se logró porque no hacemos un cine puramente comercial, sino de valores que enriquezcan al hombre. También hay un aspecto importante en ese logro que es la política del ICAIC, que promovió discusiones y confrontaciones entre nosotros durante una larga etapa, permitiéndonos tener una mayor amplitud de criterios sobre nuestra propia obra.

De cualquier manera hay problemas no resueltos, y me parece que el de la profesionalización del guionista es uno de ellos. Ese trabajo lo sigue haciendo un escritor en sus tiempos libres, un poco como *hobby*, pero eso no garantiza un buen guión. No necesariamente un

---

[127] Zuzana Pick, «Towards a Renewal of Cuban Revolutionary Cinema: A Discussion of Cuban Cinema Today», *Cine-Tracts,* Montreal, núms. 3-4, verano de 1979, pág. 26. Traducción de J. A. E.

escritor puede ser un guionista. La solución de ese problema se está haciendo impostergable[128].

En tanto toda la etapa inicial estuvo marcada por la improvisación y el énfasis en la factibilidad de los proyectos, hubo bastante lentitud en la explotación de los recursos expresivos, pero ésta se manifestó en obras muy directas y llenas de frescura; un rumbo que ha derivado en la consolidación de cierto estilo que nos marca a todos más o menos por igual, lo que se ha convertido en una ventaja. Ahora no se trata de abandonar ese estilo, sino de trascenderlo, partiendo de sus elementos más auténticos, orgánicos y populares. Creo que esa tendencia común en una dirección es inevitable.

(...)

Me parece necesario aclarar que nuestro trabajo nunca fue totalmente improvisado; siempre ha habido investigaciones teóricas, pero no con el grado de disciplina y de coherencia que actualmente somos capaces de aplicar. No se trata de algo que está empezando a ocurrir hoy. De hecho, se inició hace ya bastante tiempo, y debe extenderse. Lo que sucede es que ahora estamos empezando a hacer énfasis en este tipo de trabajo[129].

Hasta ahora (1987), y a grandes rasgos, se han manifestado dos tendencias (temáticas), una histórica y otra contemporánea. Creo que las dos son válidas, pero lo hecho hasta el momento muestra que ha sido más fácil tratar el pasado, y aunque ambas líneas son importantes, pienso que debemos hacer énfasis en los temas de actualidad. El presente puede abordarse desde muchos ángulos y géneros, pero no siempre hemos sabido hacerlo. Por eso, múltiples cosas que han ocurrido en la realidad cubana se han pasado por alto. El cine, en ese

---

[128] Silvia Oroz, ob. cit., págs. 196-199.
[129] Julianne Burton, *Individual Fulfilment and Collective Achievement*, págs. 12-14.

sentido, se ha quedado a la zaga. Creo que ha llegado el momento de dejar a un lado actitudes conservadoras y paternalistas. Tenemos que mostrar nuestros errores mediante una labor crítica correcta, saludable, y eso deben tenerlo bien presente todos los artistas, porque ocultarlos retrasa el desarrollo[130].

Una gráfica imaginaria de la evolución sociopolítica en Cuba situaría el punto más alto de la lucha de clases acentuada por la Revolución en los años finales de la década del 60 y principios de la del 70. Entonces se produjeron las películas más significativas de la historia del cine cubano. Algo así como una distensión posterior condujo a cierto acomodamiento de la dinámica intelectual en el tratamiento de asuntos polémicos, y ahora se habla de una crisis del cine porque casi siempre soslaya nuestros problemas esenciales...

Me interesa puntualizar, para ser exactos, que no debe juzgarse solamente al cine en ese sentido. Tal situación afecta lo mismo al cine que a la literatura, al periodismo... De un modo u otro, todos estamos involucrados, y es por eso que a veces los cineastas llegamos a sentirnos ofendidos: no porque nos creamos ajenos a la crisis, sino porque es injusto que se nos utilice como cabeza de turco.

A finales de la década del 60 cuajó el esfuerzo de diez años por hacer un cine nacional, luego de tanteos iniciales más o menos torpes, y empezamos a ganar cierto oficio... Después se han producido otras películas importantes, aunque no pueda inscribírseles en un flujo orgánico de creatividad como el de aquel período. Me niego a hablar de una curva descendente a partir de entonces; en todo caso, sería una curva con altas y bajas muy notables.

No olvidemos una cosa: pasó demasiado tiempo sin

[130] Roxana Pollo, «Por el camino de la autenticidad y la franqueza», *Granma*, 17 de octubre, 1987, pág. 5.

que se promovieran nuevos directores (de ficción). Éramos siempre los mismos, inevitablemente agotados por el cansancio; algunos dieron en un primer momento lo mejor que podían dar de sí mismos, y luego les fue imposible repetir la hazaña. Pero siguieron haciendo cine, sin someterse a la necesaria decantación. Cuando ocurrió la promoción masiva de un grupo que durante años venía realizando cortometrajes fue como volver a empezar. Eran sus primeros largometrajes de ficción y, en general, puede decirse que son mejores que los nuestros de los primeros años; son más profesionales, están más logrados y algunos han tenido una extraordinaria acogida por parte del público. Quizás debían haber sido más audaces, pero debemos tener en cuenta que ninguno de ellos llegaba muy fresco a semejante bautismo, porque hacía ya rato practicaban el oficio limitados al documental o al corto de ficción.

Soy optimista: de la misma manera en que se han producido fenómenos nuevos en la plástica, creo que se van a producir en el cine. Es una nueva efervescencia, correspondiente a otra etapa de lucha muy aguda. Hay síntomas: los documentales de Enrique Colina; algunos de Gerardo Chijona y Juan Carlos Tabío. Con la reorganización de los directores en tres grupos de creación cabe esperar —si no inmediatamente, por lo menos a corto plazo— cambios significativos.

¿Están creadas todas las condiciones que estimulen y soporten esos cambios?

No. Trabajamos en muy malas condiciones, porque la infraestructura técnica de cuya operatividad depende el buen funcionamiento de nuestra industria cinematográfica —particularmente en lo relativo a la producción— se ha contaminado de un deterioro en la disciplina que lo obstaculiza todo, incluso aquella posibilidad de cambios. Ahora hacer una película cuesta mucho más trabajo que hace 15 años; no encuentras nada, más bien persiste cierta voluntad de freno en todas partes. Por ejemplo, nuestro almacén de utilería es una ruina...

Es sintomático...

Claro, porque no ocurre sólo en el cine[131].

Tanto el melodrama como la comedia ligera pueden figurar con pleno derecho junto a otras formas y mecanismos más sofisticados del *juego dramático*, dentro de una cinematografía revolucionaria. Aun cuando no tenga pretensiones de ir más allá que de un simple juego o de sobrepasar el nivel de *cine de entretenimiento* puede cumplir una función social y en alguna medida contribuir a afirmar determinados rasgos culturales. Si estos sirven para fortalecer la propia identidad en un país secularmente explotado, despojado en buena medida de sus valores materiales y espirituales, saqueado, dependiente, ya está ayudando a crear un sentimiento revolucionario. Esto no quiere decir que debamos quedarnos en el nivel del simple melodrama y de la comedia ligera y conformarnos con eso. Nos sentimos motivados, inquietos, inconformes y tratamos de llevar las posibilidades del cine no sólo como espectáculo, sino también como vehículo de ideas y como generador de criterios, lo más lejos posible, pero los milagros no se producen todos los días[132].

El conflicto industria-arte puede ser desplazado del plano comercial al plano ideológico (como ha sucedido en nuestro país), pero subsiste mientras la industria suponga la existencia de un complicado aparato de producción, distribución y exhibición cuyas implicaciones económicas y políticas son notorias, y mientras el arte pueda significar lucidez, anticipación, subversión, herejía: mientras suponga un criterio personal. La libertad, por ende, hay que conquistarla diariamente, en cada momento, y esta lucha será tanto más difícil cuanto las condiciones en que se desenvuelve el artista sean más rígidas, cuanto más obtuso sea el medio en que tiene

---

[131] José Antonio Évora, ob. cit.
[132] Augusto Bernal y Carlos Tapia, ob. cit., págs. 48-49.

que desarrollarla. Pero en todo caso significan un reto que aquél tiene que asumir[133].

CINE LATINOAMERICANO

«Un reto al Primer Mundo», en lo que se refiere al cine, podría entenderse como: *un reto a Hollywood*. Desde hace poco más de veinte años el llamado Nuevo Cine Latinoamericano comenzó a ser una realidad concreta: Cinema Novo en Brasil, muestras de una voluntad renovadora en Argentina y México, aparición de nuevas cinematografías en países más pequeños y atrasados como Cuba o Chile y también en otros tradicionalmente más sometidos a los intereses de los monopolios estadounidenses como Venezuela, Colombia, Perú... En Bolivia, a pesar de ser uno de los países más pobres del continente, se puede hablar con rigor de un *movimiento* cinematográfico que ha dado algunos de los frutos más consistentes y originales, aunque aún no ha logrado estabilizarse como industria. (...)

Factores de diverso orden han coincidido para permitir el nacimiento casi simultáneo de tantos movimientos y la consolidación de algunos de ellos a nivel industrial. En el plano estético no se puede desconocer, en primer lugar, la influencia del neorrealismo. Este fue en su momento un verdadero reto al cine de Hollywood, pues su resonancia, su alcance comunicativo, estaba dado en buena medida por rasgos y características que habían sido sistemáticamente despreciados por aquel cine y, en lo esencial, por un nivel de autenticidad raras veces proyectado anteriormente sobre las pantallas. A pesar de venir de Europa, el neorrealismo es expresión tercermundista, pues revela esa parte de Italia, el

---

[133] Conferencia de prensa en el Festival de Pésaro, Italia, 1968, antologada en *Rueda de prensa*, en Ambrosio Fornet, ob. cit., pág. 334.

sur subdesarrollado frente al norte dominante, como una anticipación de la contradicción que, cada vez más dramáticamente, va a manifestarse en el mundo en los años subsiguientes.

Hay otros puntos de referencia entre los que podemos mencionar el documental inglés, que alcanzó un alto grado de desarrollo durante la Segunda Guerra y que tuvo una marcada preocupación de orden social, la Nueva Ola francesa y el *Free Cinema* británico, ambos conmoviendo las bases de un cine industrial costoso y aportando soluciones para aligerar los equipos de filmación y consecuentemente reducir los presupuestos. Todo esto entronca con factores de orden técnico que resultaron decisivos: objetivos más luminosos, película más rápida, grabadoras pequeñas y en general equipos mucho más ligeros, permitieron no solamente disminuir los costos y poner el cine con calidad profesional al alcance de países pobres, sino que incidieron favorablemente en las preocupaciones por una mayor fidelidad y riqueza expresiva en el sonido y una mayor autenticidad en el producto final pues, entre otras cosas, la posibilidad de reducir la iluminación artificial al mínimo tuvo como resultado una imagen más espontánea, más viva, menos prefabricada... Tal coincidencia de factores de orden estético con otros de orden técnico vino a dar respuesta positiva a una demanda de orden social impostergable: la necesidad de un cambio en las relaciones que mantienen a un gran número de naciones en una situación de aislamiento y de pobreza creciente frente a otras que cada día son más ricas; la necesidad de oponer nuestra verdadera imagen, nuestra expresión más auténtica, a la imagen distorsionada que de nosotros ha dado sistemáticamente el cine de Hollywood y que les ha servido para desarrollar tantos prejuicios y para consolidar la situación de dependencia.

La conjunción de esos factores dio lugar a un cine de bajo costo y al mismo tiempo ideológicamente progresista.

(...)

Es evidente que el cine latinoamericano confronta innumerables dificultades de distribución y exhibición. Ya no tiene ningún valor el viejo argumento de que el cine latinoamericano no se exhibe porque el público no va a verlo. En los últimos años hemos tenido más que suficientes pruebas de que en realidad ha sucedido todo lo contrario: el público no ha ido a verlo porque no se le exhibe, se le boicotea, se le cierran todas las puertas. Los distribuidores, tanto nacionales como internacionales, responden a los intereses de productores norteamericanos fundamentalmente, los cuales han mantenido y siguen manteniendo un verdadero monopolio en la mayoría de nuestros países. En Cuba existe una situación muy particular, pues desde hace muchos años nuestras pantallas se han liberado de las ataduras de los monopolios norteamericanos y en ellas se proyectan filmes de todas partes del mundo, de manera que los filmes latinoamericanos pueden competir en igualdad de condiciones con los de otras nacionalidades y con harta frecuencia se convierten en grandes éxitos *comerciales*. Por otra parte, sobran los ejemplos que demuestran que en aquellos lugares donde ha tenido alguna oportunidad de ser exhibido con cierta regularidad, ha alcanzado la mejor acogida por parte del público. Existe una demanda potencial de 200 millones de espectadores en Latinoamérica y el cine latinoamericano debe conquistar ese mercado.

En el resto del mundo la situación es aún más difícil para la difusión de nuestro cine. Y es necesario tener en cuenta estas circunstancias cuando uno se hace la pregunta: ¿para quién hablamos?, ¿a qué espectador van destinadas nuestras películas? No basta con pensar en un destinatario ideal; es preciso saber si en la práctica es posible llegar a él, establecer contacto, iniciar un diálogo.

En un plano puramente teórico, podría decir que la máxima aspiración sería poder llegar al público más vasto y más diverso a partir de una obra que exprese la originalidad de nuestra cultura y que aporte su rasgo propio a la cultura universal. Porque hablamos en primera instancia para el espectador más inmediato, el que tenemos más cerca y que está marcado por los mismos intereses, los mismos valores que nosotros y que comparte con nosotros los mismos rasgos, el mismo acento, la misma manera de ser, el que sufre la opresión y lucha por encontrar un lugar en el mundo.

En tanto que latinoamericanos, nos proyectamos a partir de nosotros mismos hacia el mundo entero y tratamos de establecer contacto con el mayor número de seres humanos que habitan el planeta y con los cuales compartimos —estoy seguro de ello— muchos más intereses y valores de lo que a primera vista podría parecer.

Trato de orientar mi discurso en el sentido de aquellos problemas que considero deben despertar una inquietud en el espectador. Problemas para los que quizás no tenga una respuesta plenamente satisfactoria y que seguramente sólo podremos hallarla con el concurso de todos, en la vida misma. Un objetivo primordial de nuestro trabajo consiste precisamente en desvelar las aspiraciones comunes a todo ser humano y consecuentemente penetrar cada vez más hondo en el conocimiento del mundo, contribuir en la medida de nuestras posibilidades a acortar las distancias entre los pueblos y avanzar cada vez más lejos en la comprensión mutua.

Somos producto de la historia y pensamos que el sentido de la historia se encierra en la concepción más amplia del progreso. Hasta aquí hemos llegado no sólo porque hemos conservado y desarrollado nuestros rasgos originales, sino también porque hemos asimilado y hecho nuestros los valores de otros. Así el lenguaje del conquistador, del colonizador, del opresor, sirvió al colonizado para comunicarse con otros que como él sufrían la misma opresión para unir con ellos sus esfuerzos y luchar por afirmarse plenamente en un nivel superior, pues sería ingenuo tratar de desandar la historia para recuperar la inocencia primitiva[134].

PROYECTOS

Tengo una lista de 20 proyectos, que abarcan desde la década del 60 hasta hoy (junio de 1995). Entre los más antiguos están *Inocencio Izquierdo* y *El alquimista,* dos historias con muchos denominadores comunes que no han dejado de darme vueltas en la cabeza. La primera tiene como punto de partida un argumento elaborado en colaboración con Guillermo Cabrera Infante a finales de los años cincuenta, después que conocimos en la entonces Isla de Pinos a un personaje llamado Eugenio, cuya locura se manifestaba en una necesidad compulsiva de hacer y arreglar cosas que sirvieran a la comunidad. Originalmente se titulaba *Cándido.* La nueva idea consiste en ubicar a este personaje en un pequeño pueblo aislado por ríos y montañas en la época actual. Sería una especie de paradigma del trabajador voluntario que en un principio se gana la simpatía y la admiración de todos gracias a su limpieza de alma y su generosidad. Siempre ha hecho las cosas solo, pero poco a poco, gracias al entusiasmo que despierta, va acometiendo obras de más envergadura, de manera que, sin proponérselo, llega un momento en que se ve impelido a buscar el apoyo de otros para llevarlas a cabo. Al principio, como instrumento de una coacción moral muy bien aplicada por algunos elementos oportunistas, se convierte en el eje de una movilización masiva para construir un camino que permita unir a su pueblo con la civilización. Pero no dura mucho el entusiasmo inicial. Vuelve a quedar solo y muere en un intento por

---

134 Tomás Gutiérrez Alea, *La historia como arma. Pasado y futuro.*

llevar a cabo un trabajo superior a sus fuerzas. Los del pueblo, conmovidos, se movilizan nuevamente para levantarle una estatua en el punto donde había quedado la vía a medio construir. Allí puede vérsele señalando la continuación del camino. Pero todos regresan a sus casas. Nadie va a seguir su empresa... El título de *Inocencio Izquierdo* fue sugerido por Luis Agüero, con quien trabajé en la segunda etapa de adaptación del argumento.

La idea de *El Alquimista* nunca ha llegado a estar desarrollada en forma de argumento. Se trataría de un profesor de química de una escuela en el campo; un tipo brillante que causa envidia entre otros profesores, quienes le hacen la vida imposible hasta lograr su expulsión. Percibe intensamente toda la mezquindad que existe a su alrededor y cae en crisis consigo mismo: se da cuenta de que ha respondido a la situación egoístamente, mezquinamente; se da cuenta de que él también participa y es víctima de las circunstancias que afectan a los demás, a los envidiosos. Como no puede meterse en un convento para expiar sus pecados, para limpiarse el alma, concibe la idea de trabajar en una fórmula química que, acompañada de determinados ejercicios, ha de propiciar un cambio en el hombre en el sentido de perfeccionarlo. Parte de la sana teoría de que el hombre, en el proceso de evolución natural, no ha alcanzado todavía su pleno desarrollo como tal, pero que ha llegado a un punto en la historia en el que sería capaz de conducir el proceso y de acelerarlo convenientemente. Lo primero que hace es elaborar un modelo ideal. Ha leído todo cuanto ha podido sobre *el hombre nuevo* y extrae de sus lecturas una lista de cualidades y rasgos propios de ese proyecto: generosidad, valentía, audacia, pero también sensibilidad, capacidad de entrega, amabilidad (en el sentido literal: capacidad de amar...), etc. Para completar su diseño se apoya también en la lectura de la vida de grandes hombres que han existido: libertadores, héroes, mártires, santos... Al cabo

Tomás Gutiérrez Alea y Gabriel García Márquez
durante la filmación de *Cartas del parque*

de numerosos experimentos con animales, ensaya con
un hombre, y tiene éxito. *el hombre nuevo* responde
plenamente al diseño del profesor... pero no encaja en
la realidad. Algunas de las virtudes que manifiesta en
grado superlativo, como la sinceridad, lo hacen chocar
con todos los engranajes. Su incapacidad para mentir o
para tener una conducta hipócrita lo coloca en situaciones imposibles, lo convierte en causa de desastres, y así
se ve rechazado y acosado por los demás. La soledad a
que le condenan provoca en él una profunda melanco-
lía, hasta que decide no seguir viviendo en esas circunstancias que no alcanza a entender. Horrorizado, el profesor destruye la fórmula. Es el único que acompaña el
entierro del hombre al cual había convertido en un
compendio de virtudes. Despide el duelo ante unos
sepultureros que no entienden nada cuando reconoce
su fracaso, y les habla de que ese ser creado artificial-
mente, diseñado desde afuera, no podía sobrevivir a la

realidad de este momento, ni de ningún momento, porque en esta realidad están las premisas del nuevo hombre: está el hombre de su época, el que va al paso con los años; el nuevo hombre de cada año, de cada momento de la historia.

Desde junio de 1985 está terminado en dos versiones, una en inglés y otra en español, el guión de *Calibán,* a partir de una idea de Michael Chanan. El y yo trabajamos juntos en una versión de *La tempestad,* de Shakespeare, en la cual Calibán no se mostraría como un monstruo, sino como un ser humano, de lo que resultaría que el verdadero monstruo es Próspero, que lo esclaviza. En el guión se utilizan textos de la obra original y se añaden tres escenas: dos encuentros entre Ariel y Calibán, y se sustituye la escena de la Mascarada por otra en la que, en lugar de personajes de la mitología latina, son convocadas las deidades de la Isla, que en este caso provienen de la mitología afrocubana de origen yorubá. La idea era filmar en Cuba con actores británicos la versión original en inglés.

Fredrika es otro proyecto para el que he reunido notas y hay un esbozo de estructura desde 1986. La novelista sueca Fredrika Bremer (1801-1865) visitó Cuba durante algunos meses en 1851. Desde aquí escribe a su hermana cartas con sus impresiones sobre el mundo que está descubriendo, llenas de interés por los hombres y las mujeres que conoce, por la situación de los esclavos, por la naturaleza... Tomando las cartas como núcleo para la reconstrucción de su estancia en la isla, se relacionan algunas escenas con episodios anteriores de su vida en Suecia: su infancia, la relación con su padre y con su amigo, el ministro protestante Johan Böklin, con quien encauzaba sus preocupaciones teológicas; su lucha por la emancipación de la mujer. El Instituto de Cine Sueco se interesó en el proyecto, y en 1986 trabajé en el guión con la novelista Agneta Pleijel, con la que quedó definida una muy interesante aproximación al tema. Pero tuvimos que posponerlo cuando apareció la posibilidad de realizar *Für Elise,* y después no pudimos coordinar nuestros tiempos disponibles para continuar trabajando. Me resultaba tremendamente interesante la posibilidad de relacionar nuestros dos países en un momento en que aquí existía la esclavitud y ella, como mujer, relacionaba ese fenómeno con la discriminación de que era víctima en Suecia. Aquí en Cuba se publicó una edición de sus cartas. De todas formas, ese no ha sido nunca un tema que yo haya querido priorizar.

El guión de *Für Elise* lo hicimos Eliseo Alberto, Gabriel García Márquez y yo, basado en un argumento original de García Márquez escrito expresamente para el cine. Es una fábula sobre el poder y sobre el comportamiento absurdo y caprichoso del hombre cuando ocupa posiciones de preeminencia. La historia tiene lugar en Colombia, a principios de este siglo. Es una especie de odisea tropical de cierto batallón que transporta un objeto misterioso en una caja blindada, desde el puerto hasta la capital, atravesando ríos, montañas, pantanos y selvas, y enfrentando el acoso implacable de los rebeldes liberales. El objeto transportado resulta ser un piano de cola que Don Bernardo Holguín, influyente y poderoso hombre de negocios, traficante de armas y amigo personal del presidente, quiere regalar a su hija Elisa en su décimo cumpleaños. El piano llega a tiempo para que la niña toque *Für Elise* en un gran salón lleno de ilustres invitados, mientras afuera del palacio la ciudad ha sido casi arrasada por los enfrentamientos militares que se han desatado en forma creciente, a causa de la determinación de los liberales de no dejar llegar a su destino el mítico objeto. Hicimos la prefilmación en Colombia. Se escogieron las locaciones y el reparto y se confeccionó el plan de trabajo. Sin embargo, el proyecto fue interrumpido a solicitud del productor, porque hubo que anteponer la filmación de *Cartas del parque,* como parte de la serie *Amores difíciles.*

De *Los pasos perdidos,* la novela de Alejo Carpentier,

existe un resumen como paso previo para su versión cinematográfica. Como se sabe, es la historia de un músico norteamericano de origen hispano, residente en Nueva York, a quien —en medio de una crisis consigo mismo— le ofrecen ir a la selva amazónica para encontrar un instrumento musical de los indios que tiene un particular interés. Acepta, entre otras razones, con el propósito de alejarse de su trabajo habitual en el mundo sin sentido de la publicidad. Con él va su amante francesa, que va a resultarle cada vez más insoportable. El viaje al corazón de la selva, que será a la vez un viaje por el tiempo y por la historia, resulta también un viaje al interior de sí mismo. En consecuencia, se opera en el protagonista un proceso de maduración y de comprensión de la realidad.

Hasta ahora siempre ha habido dificultades insalvables en cuanto a los derechos para el cine, vendidos por Carpentier a Tyrone Power en los años cincuenta. Parte de esos derechos, los correspondientes a los Estados Unidos de América, regresaron al novelista y ahora pertenecen a su viuda, Lilia Esteba. La United Artists los tiene para el resto del mundo. En 1985 conversé con Carlos Diegues en el Festival de Río, y me dijo que quería filmarla, pero como no tenía resueltos los problemas de producción, no tendría inconveniente. En ese momento los derechos pertenecientes a la viuda los tenía en opción Warren Cook. Yo tampoco pude llegar a ningún acuerdo con Warren Cook, y en 1987 Carlos Diegues me escribió diciéndome que él ya tenía un guión y estaba en disposición de filmarlo. Le escribí asegurándole que estaba contento con que él pudiera hacerlo.

Al poco tiempo me enteré de que entró en contradicción con Lilia y ella decidió que no llegaría a ningún acuerdo con Diegues. Lilia me ofreció verbalmente una opción por tiempo indefinido para que yo pudiera hacer gestiones con otras personas. Si le aparecía alguna oferta interesante ella me lo haría saber antes de decidir nada. Hice gestiones con Pollack y con Redford, quie-

Tomás Gutiérrez Alea con Sydney Pollack.
Sundance, junio de 1989

nes me expresaron sus deseos de ayudarme. Hice contacto con Emanuel Nunez, que trabajaba entonces con Peter Rawley. Emanuel me dijo que Sting estaba interesado. También hice gestiones con David Puttnam. Este me hizo saber que no podía asumir la producción por el momento, pero que estaba dispuesto a ayudarme. En enero de 1990 Delfina también se interesó en participar en la búsqueda de una solución.

Ese mismo año supe que Lilia había dado una opción a otro productor llamado Marc Toberoff, quien también tiene un guión pero no ha podido echar a andar la producción. Más tarde hice gestiones con Jonathan Prince.

Estando en Madrid, Walter Achugar me dijo que había hablado con Michelle Gavras y que ella le había dicho que iba a tratar de conseguir los derechos para hacer la producción conmigo. Hasta ahora no hay nada concreto.

Hay un primer guión de Luis Manuel García basado en otro texto de Carpentier: *El camino de Santiago.* Me gustan las soluciones que Luis Manuel ha encontrado, pero esta sería una película cara, de grandes recursos, y por el momento no tengo ninguna perspectiva realista de encontrarle productor. Imagino a este como un filme que, sin estar avalado por una novela como *El nombre de la rosa,* tendría más o menos ese mismo tono: su historia también transcurre en la época de la Inquisición, y digo más o menos porque hay diferencias en cuanto al empleo del humor.

Una mujer santa es un argumento de Jean Claude Carrière que me trajo Hanna Schygulla para hacerlo con ella. Sería una producción bien barata, y de veras me encantaría trabajar con Carrière, a quien admiro como guionista y cuyo sentido del humor me resulta afín. Esta idea se emparenta con *Simón del desierto,* de Buñuel, pues trata de una mujer que abandona a su familia y se va al desierto en un momento de presagios apocalípticos.

Con *El amor en los tiempos del cólera,* de García Márquez, ha habido muchas peripecias en cuanto a los derechos. El se los había vendido a un productor norteamericano con el cual luego tuvo desacuerdos, y hasta debió encauzar la demanda de recuperarlos en un proceso jurídico que terminó a su favor, pero que le ha indispuesto anímicamente y por ahora no quiere arriesgar de nuevo el proyecto. Me dijo que si alguien lo hacía sería yo, pero bueno...

Los productores estadounidenses David Chilewich y Michael Lieber se interesaron en llevar al cine la novela de Felicia Rosshandler *Passing Through Havana* y me invitaron a hacerme cargo del proyecto, pero no se ha podido avanzar mucho como consecuencia de la ley del embargo, que impide que un cubano sea contratado por una empresa norteamericana. Una muchacha judía llega a La Habana procedente de Europa, de donde sus padres han logrado huir durante la Segunda Guerra Mundial. Aquí sufre un proceso de adaptación difícil y frustrante, porque siempre se sentirá excluida de alguna manera. Ella quisiera actuar como las demás muchachas, ser como ellas, ser cubana. Finalmente sus padres logran emigrar a los Estados Unidos de América y el mundo de su adolescencia, marcado por ese conflicto, será rememorado con nostalgia.

Tengo ahí desde 1990 *Homo sapiens,* argumento de Eliseo Alberto: un hombre es exhibido en el zoológico de una gran ciudad, idealmente Nueva York, como último eslabón en la cadena de la evolución de las especies. A partir de los conflictos que acarrearía tal situación se ponen de manifiesto rasgos extremos de la condición humana: agresividad, amor, egoísmo, hipocresía, generosidad... que estimulen una reflexión sobre el hombre en este momento de la historia. Berta Navarro y Jorge Sánchez intentaron concertar una coproducción entre México y Canadá, para filmar la mayor parte en Toronto, simulando que fuese Nueva York. Berta habló con Paula Weinstein, quien se mostró interesada, pero necesita un guión terminado para decidir si interviene o no en la producción.

De Eliseo Alberto es también *Otra tumba para Leroy.* Un veterano de la guerra de Vietnam está lleno de tatuajes con nombres de personas que, según él, ha ido matando y, al final de la película, se descubrirá que el último nombre es el suyo. En los alrededores de cierta casa donde se celebra una fiesta rapta a una joven acompañada por dos muchachos, a quienes reta diciéndoles que para ser hombre es necesario matar y que, si quieren salvarla, deben eliminarlo a él antes de la mañana siguiente. Estos dos muchachos, hasta entonces las personas más inofensivas del mundo, sienten la obligación de rescatar a su amiga y comienzan a pertrecharse de armas y municiones dispuestos a cualquier cosa mientras, paralelamente, la joven cautiva descubre que su raptor no es más que un infeliz incapaz de matar que, abrumado por el trauma de haber sido el único sobreviviente de su grupo en la guerra, se siente culpable de la muerte de sus compañeros. Ella trata de salvarle la vida, pero no logra detener a los amigos que vienen en su busca, cuya violencia es ya entonces virtualmente irrefrenable.

Sin pensar en probabilidades de producción, sólo en el orden de tus intereses, haz una lista de jerarquía de esos proyectos.

El primero de Lichy (Eliseo Alberto), *Homo sapiens,* está bastante avanzado. Idealmente debía ser filmado en una ciudad como Nueva York; estoy pensando en el Zoológico del Bronx, pero de momento esa es una opción inasequible. Hemos manejado la idea de hacerlo en Berlín o en Londres, sin que haya llegado a concretarse nada. Ese es un proyecto que me interesaría desarrollar, aunque es complicado. Si se dieran las condiciones, estoy dispuesto a trabajar en él de inmediato.

Hay otro que se derivaría de la propuesta que en 1993 hice a la John Simon Guggenheim Memorial Foundation. El argumento de aquella propuesta apareció mientras estuve en Nueva York en mayo y junio de 1992: la segunda parte de *Memorias del subdesarrollo.* Allí me encontré otra vez con Edmundo Desnoes, y hablamos de preparar un proyecto cuyo protagonista tuviese rasgos en común con Sergio, el personaje principal de *Memorias...* Al principio él y yo pensamos en un cubano que en 1971, luego de la frustrada zafra de los diez millones, emigra a los Estados Unidos de América con el mismo sentido crítico frente a las circunstancias, con el mismo desarraigo y ahora con más frustraciones acumuladas, y tampoco logra insertarse plenamente en aquel otro contexto. Sería una víctima del choque cultural. Aquí veo una película que debería nutrirse mucho del documental, mezclando la ficción y el testimonio, incluso en mayor medida que *Memorias...*

Este es un proyecto que he venido transformando: ahora las acciones ocurrirían en Cuba, no en los Estados Unidos, con un emigrante que regresa a La Habana por

Mirta Ibarra y Tomás Gutiérrez Alea. Nueva York, 1985.
© Judy Janda

varios días, y no es un hombre, sino una mujer. Aunque todavía está en la fase argumental, se ha enriquecido por muchos años de acumular ideas al respecto. La sugerencia de que fuera una mujer la hizo Mirta (Ibarra), y me parece muy efectiva. Esa mujer viaja a La Habana en busca del que había sido su grupo de amigas más cercanas en la escuela, y lo que encuentra son mujeres maduras que han perdido las ilusiones de su juventud.

Me parece que éste no es una derivación de aquel proyecto presentado a la Guggenheim, sino otro. ¿Significa que has descartado por completo aquél del exiliado cubano en los EE.UU.?

No, no completamente. Lo que ocurre es que esta idea de Mirta (Ibarra) de confrontar al emigrante con la realidad cubana puede resultar también muy interesante, y como ella ha acumulado mucho material sobre eso me gustaría que trabajáramos juntos en este proyecto.

Ése es el asunto de «Laura» en Mujer transparente[135].

Y también el de *Weekend en Bahía*, aquel proyecto que tuve —basado en la obra homónima de Alberto Pedro— y que nunca llegué a realizar porque envejecía casi a diario. Recuerda, además, que «Laura» termina en cuanto ella llega a La Habana y está a punto de encontrarse con su amiga; en este otro la historia comenzaría justamente en ese momento.

Después me encantaría llevar a término *Inocencio Izquierdo*, la fábula del Quijote tropical que sufre las secuelas de una idealización de la sociedad. Pero está en pañales: sé que no va a ser fácil emprenderlo, porque no tengo todavía guión; ni siquiera una estructura ni una sinopsis definitivas. Y luego vendrían los demás...

De *Los pasos perdidos* me parece que se puede sacar una gran película, pero no acabo de *verla*, de encontrarle el rastro, y creo que el motivo principal es que no he trabajado lo suficiente en ese proyecto. Ahí están los temas del choque cultural, de la ecología, con el enfrentamiento civilización-naturaleza, algo que en estos tiempos se ha hecho más dramáticamente importante...[136].

Sobre la vida, la muerte y otras boberías

¿Eres marxista?

Tengo una formación marxista que viene a ampliarse en la década del 70, cuando me dediqué a profundizarla; creo que hasta entonces era superficial y no tenía la suficiente base filosófica. Ese proceso fue muy gratificante. Descubrí, entre otras cosas, que lo que ha sido la experiencia del socialismo en el mundo es una tergiver-

---

135 *Mujer transparente* (ICAIC, Cuba, 1990), Ficción, 82'. Cinco historias, dirigidas por Héctor Veitía, Mayra Segura, Mayra Vilasís, Mario Crespo y Ana Rodríguez *(Laura)*.
136 Entrevista con el autor.

Tomás Gutiérrez Alea con Ernesto *Che* Guevara

sación de las propuestas de Carlos Marx. El aporte de
Marx a la comprensión de la historia y del desarrollo
social es fundamental. Que lo haya hecho hace más de
un siglo, y lo ocurrido desde entonces hasta hoy —procesos cuyo desarrollo era imprevisible para él—, no
invalidan su contribución. No hablo de las predicciones,
sino de la base de esas predicciones, algo que no puede
ignorar ninguna persona culta de este siglo. Ninguna
persona dedicada al estudio de la historia y de la sociedad puede negar ese aporte. Es como si dijéramos que

la física después de Einstein niega a Newton: no se puede ser newtoniano o einsteniano.

No sé si decir que soy marxista, pero lo que sí puedo afirmar es que baso mis razonamientos, en gran medida, en el método científico desarrollado por Marx.

¿No te llama la atención el hecho de que han sido los países socialistas los únicos en la historia moderna que proclamaron un sistema social basado exclusivamente en una filosofía? Incluso, en estos países la política se redujo a una interpretación de esa filosofía.

Se redujo a una interpretación amañada: cada cual arrima la brasa a su sardina, como se dice. Hablando de estas cosas es como si volviera atrás, a lo que ya dije; eso no me parece interesante. Te confieso que ahora tengo mi cabeza puesta en otra parte.

¿Dónde?

En el sentido de la vida, por ejemplo.

¿Has escrito algo al respecto? ¿Has llegado a alguna conclusión?

Ni lo uno ni lo otro. El sentido de la vida es vivirla, sencillamente, y esto no es una conclusión, porque es la ambigüedad misma. Es no encontrar nada más allá del hecho de estar vivo. ¿Recuerdas lo que decía Lennon?: «La vida transcurre mientras uno está ocupado en otras cosas»[137].

Cuando hablo del sentido de la vida, no pienso en lo que hay más allá, sino en lo que puede haber más acá, y en cómo la vida se completa con la muerte. Resulta sorprendente advertir cómo la gente siempre va posponiendo el pensamiento sobre *su* muerte por miedo a enfrentar ese momento, aunque nadie ignora que va a tener que enfrentarlo. Uno siempre piensa que ese momento está muy lejos; sólo cuando te convences de que

---

[137] Se refiere a un fragmento de la canción «Beautiful Boy» (1978), que dice «Before you cross the street/take my hand./Life is what happens to you/while you're busy making other plans.»

lo tienes muy cerca te das cuenta de que debes prepararte. Leyendo un libro sobre el *yoga* con reflexiones de este tipo, me pregunto ¿por qué lo habré encontrado tan tarde?

Cualquiera que practique una religión le encuentra otro sentido a la vida. ¿Sientes que a ti el diagnóstico de cáncer, todo este período de tratamiento médico, las intervenciones quirúrgicas y la recuperación te han acercado a quienes le encuentran un sentido a la vida en las religiones?

No; no soy capaz. Y ojalá pudiera. Digo ojalá porque eso te da una tranquilidad. El problema es que nada, tal como se plantea en las religiones que conozco, me resulta convincente. Es un misterio. Lo importante es sentir que uno está vivo en medio del universo; esa es una sensación trascendente, porque te hace sentir parte de algo más grande que tú.

Si llevamos el tiempo conocido de evolución del universo a la proporción de un segundo, dentro de 15 segundos es probable que no existan ni el planeta, ni la galaxia... ni la trascendencia.

Todas esas cosas se transformarán en otras, pero no me cabe en la cabeza la idea de que la existencia pueda no existir. Lo que uno ve claro cuando se enfrenta al final de la vida es la propia vida de uno, pero desde una perspectiva nueva. Empiezas a reparar en lo maravillosa que debía ser, y que es, en muchos aspectos, y lo frustrante que es no haberla vivido plenamente. Porque se pierde tanto en pequeñeces, en agresiones estúpidas, en todas esas cosas que nos lastiman inútilmente, y no tendría que ser así. La vida podría ser más hermosa, más plena, si se la llenara de esas maravillas que tiene, como el afecto... Pero la convertimos en un infierno con las guerras, la política; esa estupidez tan grande que es la política, que nos hace perder tanto tiempo...

¿Cómo ha cambiado entonces tu percepción de la vida?

En muchos sentidos. Por ejemplo: no tengo deseos

de fumar ni de consumir bebidas alcohólicas; hay muchos focos de atención que han desaparecido, porque ha cambiado radicalmente mi actitud frente a mí mismo. Siento la necesidad de protegerme, porque pienso que el cáncer fue la secuela de algo que estuve haciendo mal, y debo cambiar esa conducta, que abarca no sólo dejar de fumar y de beber, sino también la alimentación, la exposición a agentes cancerígenos y, sobre todo, el equilibrio psíquico... Diría que este último es un factor muy importante, determinante, en la vida de los seres humanos. Hay momentos en que una gran depresión llega a hacerte perder de vista muchos valores, y casi (o sin el casi) quisieras morirte. Son los momentos en los cuales las enfermedades como el cáncer pueden avanzar. Se trata de revalorizar la vida, incluso a pesar de las circunstancias tan frustrantes que estamos viviendo, que no dan para mucho optimismo ni para mucha creatividad. Martirizarse es un estado morboso que se contagia. Según creo, uno debe sobreponerse a eso y buscar soluciones, porque es una tontería no disfrutar la vida.

¿Cómo puedes conciliar este momento de búsqueda de la plenitud con unas circunstancias en las que esa búsqueda se hace tan difícil?

Uno tiene recursos, no sólo para evadirse, sino también para no dejarse aplastar por las circunstancias. Ahora tengo eso muy claro. Tengo que tomar las cosas como son; la realidad está llena de contradicciones, de momentos difíciles, pero frente a cualquier situación hay dos opciones básicas: darle un signo positivo o negativo. Si te botan del trabajo, por ejemplo, algunos lo asumen como una catástrofe mortal; incluso, llegan a pensar en el suicidio. Para otras personas quizás signifique una liberación y una esperanza de encontrar algo mejor. Hay que pensar que siempre existe una posibilidad de algo mejor, porque —en definitiva— la vida debe continuar. Lo peor que podría ocurrir es que el planeta entero se hunda: sería la catástrofe, y aunque no está descartada, parece que al menos por el momento es una pesadilla del futuro.

¿Qué es la muerte?

La muerte es lo más natural de la vida. No es la catástrofe, sino el punto final que desde el principio estaba en el programa. Cuando la ves cerca puedes llegar a la desesperación o a la gran serenidad, que es lo que creo haber alcanzado en alguna medida.

El cambio de actitud ante la inminencia de la muerte implica, por un lado, aceptarla como una cosa lógica, y por el otro, eliminar todo vestigio de pasividad y de resignación inspirado por la imposibilidad de conjurarla. Cuando llegue, llegó, pero mientras tanto hay que hacer lo posible por disfrutar la vida. Empiezas a hacer una limpieza en el campo de tus intereses y de tus valores; a quedarte con lo que realmente vale la pena, pues ya no dispones de tanto espacio vital. Se dice muy fácil, pero ese proceso atraviesa momentos de depresión en los que te sientes desvalido.

La sensación que tengo es que he perdido mucho tiempo en tonterías, pero no me ha dado por autoflagelarme ni mucho menos. Quiero pensar que estoy a tiempo para recuperar muchas cosas. A esa pregunta común de los entrevistadores, *¿Si volviera a vivir su vida, lo haría todo igual?*, quienes creen que nunca van a morir responden: «Pues yo, sí.» Pero si tienes conciencia de que te queda poco, reparas sobre todo en el tiempo que has perdido, y entonces dices: «Bueno, no exactamente.»

¿Has hecho algo de lo que tengas que arrepentirte?

Por supuesto. El arrepentimiento es una fuente de dolor, pero no de un dolor insuperable. No quiere decir que me justifique: me arrepiento; sin embargo, no dejo de tener en cuenta que eso lo hizo otra persona que fui yo en aquel momento. Sólo en la medida en que te duelan esas cosas, eres capaz de no repetirlas. Cuando has hecho algo de lo que te arrepientes es porque hiciste lo más fácil, no lo mejor.

Un cine de síntesis y revelación

Como se sabe, etimológicamente poesía significa creación, lo cual empieza por hacernos tautológica la frase de creación poética. Aunque los conceptos de poesía son incontables, casi todos gravitan —en los cauces de la tradición o de la iconoclastia— sobre *un* ideal de la belleza expresado mediante los signos del habla y, por extensión, de cualquier otro lenguaje. Entre las más audaces metástasis del concepto aparece la propuesta por Lorca cuando dijo que el teatro es la poesía que se levanta y anda, fórmula traicionada por la pasión poética y, en consecuencia, tan brillante como inútil; acaso una prueba de lo difícil que resulta nombrar sistemas cuya existencia descansa en la heterogeneidad. Llámase dramaturgia, en tanto, al arte de la comunicación escénica, y conviene recordar que los primeros textos dramatúrgicos fueron a su vez textos poéticos, para aventurar la idea de una especie de emancipación de aquellos en el transcurso de la historia del arte; una emancipación al cabo de la cual *la belleza no es un fin dentro de la obra, sino fuera de ella*: en vez de ofrecérsela al receptor para que la disfrute, se le prepara para buscarla o crearla, sobre todo en su propia vida.

Es ese quizás el más recóndito entre los espíritus que han animado la dedicación al cine de Tomás Gutiérrez Alea. En cuanto ha escrito y ha dicho hasta hoy sobre su trabajo y sobre el cine en general, desde *Dialéctica del espectador* hasta conferencias y entrevistas, son muy escasas las referencias a la poesía como medio o como fin de sus películas. Tales declaraciones servirían de poco a este estudio si no se tratara de un director que ha logrado conciliar provechosamente creación artística y meditación ensayística, al punto de que la segunda pueda considerarse casi siempre génesis de la primera. En vez de un método inspirado por la búsqueda de la belleza, el suyo es más un esfuerzo por contribuir a saber reconocerla y fundarla. De ahí que, en cierto modo, tengan razón quienes reconocen en su obra un carácter eminentemente político, pero jamás debe entenderse tal juicio como prueba de ausencia de operaciones artísticas en el ejercicio creativo, teniendo en cuenta la especificidad del cine, junto con la fotografía, como una de las artes realistas por excelencia. Impelido no por una pasión poética, sino por la pasión ensayística, el teórico alemán Siegfried Kracauer llegó a afirmar que «la injerencia del arte en el cine bloquea las posibilidades intrínsecas de este último»[138], refiriéndose a la aplicación de lo que él llama procedimientos *formativos* de las demás disciplinas a esta cuya materia prima —la *realidad*— emerge finalmente, aun elaborada, en el producto. Obviando la dosis de absolutismo notable en la sentencia, sin embargo, valga reconocer la cualidad esencial que invoca, reafirmada por Alea al decir que «el cine tiene en sí mismo una vocación realista»[139]. Estamos en presencia de un director para quien el realismo es un espacio de inconmensurables posibilidades expresivas, alentadas por el interés de comprender mejor el mundo y ofrecer así instrumentos al humano afán de perfeccionarlo.

[138] Siegfried Kracauer, *Teoría del cine. La redención de la realidad física,* Barcelona, Paidós Estética, 1989, pág. 369.
[139] Guillermo González Uribe, ob. cit., pág. 7.

Seguramente estaremos de acuerdo en que el denominador común de sus filmes, su estilo, no emana de *secuencias poéticas memorables* ni de un *aliento poético sostenido*, de acuerdo con la tradicional definición de poesía. No es la pasión por algún modelo de belleza, sino el escrutinio vehemente y más o menos fecundo de la sociedad, lo que nutre la sustancia dramática de sus películas. Profanada en todos los órdenes la arrogancia del concepto, *poesía* han sido o pretendido ser desde los orígenes lo mismo *tú*, con Bécquer, que la iconorragia de las propagandas política y comercial con el auge de los medios de difusión masiva. Entre tanta y tan inabarcable contaminación, es lógico que algunas mentes generosas se hayan propuesto rescatar el término, a veces incluso *desnaturalizándolo* o privándole de su secular *pedigree*. A una de esas, la del francés Roland Barthes, se debe el enunciado de que poesía es «la búsqueda del sentido inalienable de las cosas»[140].

CINE VS. ALIENACIÓN

Alienar es *enajenar, privar de, transferir, trastocar.* Lo inalienable de las cosas está en su naturaleza, que por múltiples razones puede ser sometida a cambios, generalmente en busca de nuevas utilidades. En su sentido más amplio, el concepto de Barthes no repararía en el valor positivo o negativo de la utilidad deducida, porque implica una ponderación tácita del orden natural; una vuelta a los orígenes. Del mismo modo que el ensayo permite hacer un examen científico de la alienación, la dramaturgia (cinematográfica, en este caso) es uno de los tipos de estructura que se ofrece a su examen artístico. No me detendré en las diferencias entre el

---

[140] Roland Barthes, *Mitología,* México, Siglo Veintiuno Editores, 1981, pág. 256.

uno y la otra, pero sí deseo subrayar la cualidad dramática de esta última, que, tanto en el cine como en el teatro, consiste básicamente en una *reproducción sintética* de aquellas zonas de la vida sometidas al examen del artista.

Gutiérrez Alea no suele escribir los guiones de sus películas; sin embargo, su obra es una prueba de la relatividad del concepto de cine de autor. Todos los filmes que ha dirigido son el resultado de sus elecciones, y jamás la faena de los guionistas ha sido completamente independiente, porque desde el principio trabaja con ellos en estrecha colaboración, a lo que debe agregarse su declarada proclividad a reformar hasta el último momento los planteamientos del libreto: «Mantengo siempre una actitud flexible y abierta para poder modificar la concepción original e integrar cosas nuevas que siempre enriquecen»[141]. Sean muchas o pocas las modificaciones en cuestión, el caso es que Alea, primero: *escoge* la historia que habrá de contar, evidentemente al reconocer en ella ecos de alguna de sus reflexiones obsesivas; segundo: *participa* en la elaboración del esquema dramático, de lo cual se deduce que pone al escritor en función de su proyecto —y nunca al revés—, aun cuando esté dispuesto a aceptar toda clase de sugerencias (y aquí la sintonía con respecto al tema resulta de enorme valor; define *quién* es el guionista, pues el director ya se sabe: es él. Además, como le dijo a Silvia Oroz, «el que da la forma definitiva del guión soy yo»)[142]; tercero: *selecciona* las locaciones, los actores, el director de fotografía, el autor de la música..., y al final, dirige la película, que es decir dirige las filmaciones y después el montaje. En términos específicamente cinematográficos, la dramaturgia —entendida como suma de elementos de composición del filme— corre casi por completo a

[141] Silvia Oroz, ob. cit., pág. 125.
[142] Silvia Oroz, ob. cit., pág. 135.

cuenta del realizador. Si hay un autor en todo esto, no hace falta decir quién es.

Muchas de las películas de Tomás Gutiérrez Alea, aquellas en las que él mismo dice reconocerse mejor, son, de un modo u otro, búsquedas del sentido inalienable de las cosas. Lo mismo puede decirse de casi todos sus proyectos, frustrados o por hacer, viejos o nuevos. El más significativo en este sentido sería *El Alquimista,* que cuenta la historia de un profesor de Química a quien expulsan de la escuela donde trabaja, y en un intento por redimir a los demás y a sí mismo inventa la fórmula del *hombre nuevo,* incapaz de mentir, de ser hipócrita, de renunciar al sacrificio. El experimento sólo consigue defraudar a su creador, porque el *hombre nuevo* no logra insertarse en la sociedad, que le rechaza hasta el límite de llevarle al suicidio. En el fondo, se trata de una idea equivalente a la de *Las dos mitades del Vizconde,* de Italo Calvino[143], novela paradigmática en la búsqueda del sentido inalienable del bien y del mal.

¿Qué alienaciones, entonces, somete a cuestionamiento en sus películas Tomás Gutiérrez Alea? En principio, las que se derivan de manipulaciones tendenciosas de los fenómenos sociales, pues, en esencia, Alea es un artista que no ha podido —tampoco lo ha intentado— enajenarse de las circunstancias, que es decir de la sociedad. Al hablar del artista-ermitaño, del artista-anacoreta, del artista refugiado en la torre de marfil, se subraya, muchas veces con sentido peyorativo, la voluntad del creador que ha sido capaz de renunciar a su lugar en la sociedad por tal de salvar su lugar en la especie, su espíritu, con todas las consecuencias que para la psiquis acarrea semejante conducta. Los ejemplos sobran, pero cuando pienso en el asunto suelo recordar a Vincent Van Gogh, esa venerable víctima inocente que

---

[143] Italo Calvino, *Las dos mitades del Vizconde,* La Habana, Instituto del Libro, 1968. Esta obra se ha publicado en España con el título de *El vizconde demediado,* Madrid, Siruela, 1992.

tuvo que cortarse una oreja para moderar el ruido del hambre y cuyos cuadros se venden hoy a precios de escándalo. A quien no haga eso no le queda más remedio que ser político, y Tomás Gutiérrez Alea lo ha sido con la entraña del artista: un rastreador de la verdad en la apoteosis de la sofística.

La mirada de Sergio

En *Historias de la Revolución* (1960), Alea salda su deuda con el neorrealismo italiano. Aunque la mayor parte de su obra tiene rasgos de esa escuela (el trabajo con escasos presupuestos, el sondeo de conflictos derivados de la relación individuo-sociedad, la búsqueda de locaciones *in situ*, etc.), es en este filme donde más se evidencia la fascinación que sobre él ejercieron películas como *Roma città aperta (Roma, ciudad abierta); Paisà, Umberto D* y *Ladri di biciclette (Ladrón de bicicletas)*. Era su primer largometraje de ficción, y difícilmente hubiera logrado entonces hacer la película que quería, pero puede afirmarse que convirtió el debut en experiencia. *Historias...* deja ver aún cierta ingenuidad de principiante; se entrega al tema del heroísmo con la vehemencia típica de la emoción, y es por eso —porque lo que va a definir su trabajo es la razón— que apenas anuncia al cineasta de sus próximas obras.

Las doce sillas (1962) introduce el humor en su filmografía. Si mientras hizo los cortos de Cine-Revista entre 1956 y 1959 debió filmar escenas cómicas que le aportaron experiencia, sobre todo, en la dirección de actores y en la dramatización satírica, en este filme ya se trata de un punto de vista más global, irreverente y casi brechtiano de la sociedad. *Las doce sillas* fue la primera película sobre la que, según confiesa él mismo, tuvo pleno control, y es notable cómo ese dominio de la situación se traduce en una comedia que prescinde de los recursos tradicionales del choteo criollo mediante un

El herido, episodio de *Historias de la Revolución.*
Eduardo Moure y Reinaldo Miravalles

lenguaje más irónico que burlesco, incluso cuando llega a la caricatura. No importa que el objeto de ridiculización sea el expropietario a quien las nuevas circunstancias convierten en un alienado, porque es a escala social donde la historia localiza los brotes de una atmósfera farsesca que, en última instancia, somete al pícaro a los mismos desórdenes que a su presa: aun cuando el uno los aproveche y el otro los padezca, ambos quedan a merced de la corriente que los arrastra. Con toda la supuesta parcialización del enfoque, la película es el resultado de una mirada objetiva que desdeña la solemnidad, los clamores de la batalla —fue estrenada el 17 de diciembre de 1962, apenas un par de meses después de la llamada crisis de los misiles— y el *entusiasmo revolucionario,* a cambio de un examen indiscreto de las nuevas relaciones sociales. No cuesta mucho trabajo reconocer ya aquí la mirada del protagonista de *Memorias del subdesarrollo,* lo cual no significa que en *Historias de la Revolución* haya estado ausente. Sergio (el protagonista de *Memorias...*) es lo que el leninismo, y sobre todo el estalinismo, llamaron peyorativamente «un pequeñoburgués», como si, en rigor, las figuras que dieron nombre a esas corrientes de pensamiento y de acción no pudiesen ser calificadas así, y como si muchos socialistas occidentales carecieran de procedencia en el sistema de clases apuntado por Marx. Igual que Sergio, Titón es un pequeñoburgués, y a diferencia de él, es de los que comparte el orteguiano puesto de espectador con el de participante en una revolución que se declara socialista. Ninguno de esos dos lados logra anular al otro, y ahí mismo sobreviene el conflicto, en la medida en que su adhesión no será incondicional porque depende del ejercicio de la crítica, en un momento en que la crítica social empieza a ser asociada convenientemente en Cuba con la sospecha de un enemigo enmascarado.

En *La muerte de un burócrata* (1966) aquella irreverencia llega a ser desafiante. Todo el filme es una hipérbole de los inconvenientes que ocasiona la burocracia en el cotidiano oficio de vivir, pero no crea quien desconozca la realidad cubana que esa parábola pasa muy lejos de la verdad: digamos que no es surrealista, sino hiperrealista.

En las secuencias iniciales de la película, asistimos al entierro de Francisco J. Pérez, «obrero ejemplar, proletario en toda la extensión de la palabra, y más aún, artista emérito, inventor insigne, paradigma de patriotas... Un Miguel Angel para los humildes»; todo esto, porque había inventado una máquina que fabricaba bustos en serie «para que cada familia cubana llegara a tener un rincón patriótico en su casa». La jerga del orador que despide el duelo solamente ha cambiado los nombres del mismo discurso politiquero a cuya sombra pastaba la demagogia en la primera mitad del siglo, sustituyendo el antes oportuno objeto de veneración por el héroe de los nuevos tiempos: el proletariado. Haciendo uso de la fotoanimación, una técnica muy bien aprovechada por el cine cubano de los 60, en esta primera parte se dice del difunto que «siempre pudo vérsele en la primera línea de combate contra todas las fuerzas opresoras», al tiempo que imágenes de archivo de la manifestación popular ocurrida en La Habana en 1933 a la caída del dictador Gerardo Machado y de un acto multitudinario en la Plaza de la Revolución, a principios de la década de los 60, quedan congeladas, mientras una flecha señala un punto anónimo en la muchedumbre.

Hay demasiados significados en estas colosales ironías, pero creo necesario subrayar uno: la ridiculización del culto a las apariencias, que ya en 1907 Francisco Figueras denuncia refiriéndose a la fe católica en Cuba, por el esmero con que se practicaban sus ritos —bautizos, matrimonios, entierros, misas, responsos— como «deberes cumplidos» que servían de licencia para excusar los deslices morales[144]. Todos los burócratas de la película, como los de la vida real, asumen la apariencia de estar dedicándose a faenas muy importantes, aunque el tiempo se desangre, y uno de ellos —el que al principio despide el duelo de Francisco J. Pérez— es un sátiro acomodaticio a quien el color rojo no le vendría precisamente de la bandera proletaria. Se ha hablado, y el propio Titón lo ha hecho, del homenaje que *La muerte de un burócrata* rinde a comediantes como Stan Laurel y Oliver Hardy, Harold Lloyd y Buster Keaton, pero no debe perderse de vista cuántos puntos de contacto tiene el *leit motiv* del filme con Kafka y Orwell, y es todavía mayor el parentesco con Buñuel. Algunas de las imágenes más elaboradas del cine cubano se encuentran en las pesadillas del protagonista de esta película.

---

[144] Francisco Figueroa, *Cuba y su evolución colonial,* La Habana, Isla, Editores y Distribuidores, 1959 (reedición), pág. 263.

SERGIO.— Esta humanidad ha dicho basta y ha echado
a andar... como mis padres, como Laura,
y no se detendrá hasta llegar a Miami.

(Memorias del subdesarrollo, película)

Todos son unos ilusos. La contra, porque vive
convencida de
que recuperará fácilmente su cómoda ignorancia;
la Revolución, porque cree que puede sacar
a este país del subdesarrollo.

(Edmundo Desnoes, *Memorias
del subdesarrollo,* novela)

Memorias del subdesarrollo (1968), es un cuestionamiento múltiple de la alienación en busca de una desalienación que debe aparecer como saldo en la conciencia del espectador: el cuestionamiento del pequeñoburgués súbitamente enajenado de su contexto natural; el
que hace él, ahora distanciado de sí mismo y, por lo
tanto, capaz de juzgarse en su anterior circunstancia; el
de la nueva circunstancia, sometida al examen también
distanciado del propio protagonista; el de ese individuo,
en fin, sujeto a una tempestad social cuyas fuerzas no
puede controlar y que, sin embargo, decidirán su suerte... Indiscutiblemente, la noveleta de Edmundo Desnoes ya había prefigurado *el conflicto* y, desde luego, la
historia, pero la película, además de permitirnos *verlos,*
les dio un grado de complejidad menos dramática que
dramatúrgica gracias a una estructura de constantes ape-
laciones interrogativas que, incluso en el plano espectáculo-espectador, es también desalienante (y esto
último, ya se ha dicho demasiado, es uno de los principales méritos del filme). Cualquier apreciación semioló-
gica podría encontrar belleza en tal concierto de signos,
verdadero *pensamiento en acto,* como diría Jean Cassou
de la pintura de Cézanne[145]. A esa calidad formal no

---

[145] Jean Cassou, *Panorama de las artes plásticas contemporáneas,*
Madrid, Ediciones Guadarrama, 1961, pág. 41.

puede asistirse plenamente sino por medio de un edificante esfuerzo intelectual, y la inteligencia aguza la sensibilidad. Por otra parte, el saldo estético de la película, en significativa comunión con el ético, no es bello ni es bueno, no es feo ni es malo; a lo sumo podría decirse que es justo. Pero es bueno y es bello *para* la película, de hecho convertida en un *objeto* más entre los capaces de ensanchar el espectro de esos valores.

Obsérvese que 1968, el año en que fue estrenada, es uno de los momentos climáticos de la efervescencia política *antiburguesa* desencadenada por la Revolución y, sin embargo, todas las reflexiones que hace el filme tienen como punto de partida y como nutriente intelectual la experiencia de un pequeñoburgués (la novela de Desnoes había aparecido en 1965, publicada por Ediciones Unión). He ahí la causa de que inicialmente despertara tan enconadas críticas en los sectores populistas del gobierno cubano, e incluso en otros menos ortodoxos que la distinguieron como un peligro para la pureza ideológica del proceso de cambios que debía operarse en la isla. Al final, todas estas posiciones cedieron ante la evidencia de que *Memorias...* contribuyó a evitar el alineamiento de la Revolución Cubana junto a los países que *eligieron* la opción socialista en Europa oriental.

La audacia formal de *Memorias...* es menos el fruto de la deliberación que de una intuición animada por el fantasma cartesiano de la duda. Todos los fragmentos documentales que aparecen en la película responden al esfuerzo de ilustrar un análisis, no a una idea preconcebida de mezclar géneros[146]. Es quizás con esta obra cuando por primera vez Alea siente que puede arriesgar un examen dialéctico de las causas que provocaron la

---

[146] Véase lo que dice Titón en el acápite de este libro dedicado a *Memorias...*: «Aunque sabía lo que estaba haciendo, puedo asegurar que no tenía una noción, una formulación conceptual de los métodos que estaba empleando para hacerlo.»

rebelión armada contra Batista. Se sirve para hacerlo de fragmentos de un documental dirigido por él mismo en Playa Girón. «La verdad del grupo está en el asesino», dice, refiriéndose a la brigada invasora, pero extiende el análisis a los desmanes del gobierno de Fulgencio Batista, y consigue una rápida disección del cinismo que caracteriza la política con imágenes de banquetes oficiales en plena época de atropellos y crímenes contra los opositores.

Entre los cambios que sufrió la noveleta al ser llevada al cine hay uno que refleja cómo el director se propuso conservar las meditaciones del texto original, sin dejar de aportarle otras cuya significación dependiera de técnicas propiamente cinematográficas como el montaje. El libro, y también la película, incluyen este monólogo de Sergio: «Todo el talento del cubano se gasta en adaptarse al momento.» Sigue, en el libro: «En apariencias. La gente no es consistente, se conforma con poco. Abandona los proyectos a medias, interrumpe los sentimientos, no sigue las cosas hasta sus últimas consecuencias. El cubano no puede sufrir mucho rato sin echarse a reír. El sol, el trópico, la irresponsabilidad... ¿Fidel será así? No me parece, pero... No quiero volverme a engañar. Cuando más, puedo ser un testigo. Un espectador»[147]. El filme, en una secuencia que parte de las opiniones del protagonista sobre la sorpresiva conducta de Elena, reproduce aquel parlamento de «La gente no es consistente...», al cual agrega: «...y siempre necesita que alguien piense por ellos». Viene un corte, y en el plano siguiente vemos una enorme valla con la imagen de Fidel Castro mientras Sergio y Pablo van en coche rumbo al aeropuerto.

En otro momento, Titón construye una escena que involucra muy directamente al espectador. Sergio recibe

---

[147] Edmundo Desnoes, *Memorias del subdesarrollo,* La Habana, Ediciones Unión, 1965, pág. 27.

en su apartamento a dos inspectores de la Reforma Urbana que hacen un registro de sus bienes inmuebles, mostrando ellos demasiada flexibilidad en la exactitud de los datos («tendrá 100 ó 200 metros cuadrados el apartamento...; pongamos que 300»), y al final él pregunta para qué es todo aquello. «Esto es para un control», responde el individuo. «No se preocupe; si hay alguna irregularidad, después lo arreglaremos.» De inmediato aparece el dibujo de un ojo sobre el cual puede leerse «Te estoy cazando». Gráficas como esa, de acuerdo con los cultos sincréticos afrocubanos, deben usarse para evitar el *mal de ojo* (efecto del daño que provocan las miradas envidiosas o malintencionadas) y, por otra parte, es sobre la figura de un ojo que se diseñó el logotipo de los Comités de Defensa de la Revolución (CDR), que a nivel de barrio en toda Cuba han servido para vigilar a los *enemigos internos*. Al principio de *Fresa y chocolate,* cuando David mira por la ventana de la posada a la que ha llevado a su novia, ve uno de esos carteles de los CDR en un plano que de algún modo recuerda éste de *Memorias...* En la secuencia de los inspectores, además, el personaje femenino se comporta de una manera tan realista, observándolo todo con evidente desconfianza y con un ni siquiera disimulado sentimiento de aversión, que puede considerarse un retrato del matiz tomado por el conflicto riqueza-pobreza en virtud del aprovechamiento que de él hizo la propaganda mediante continuos llamados a ejercer la *combatividad revolucionaria.* Pero quizás el valor más grande de la escena radique en el modo en que fue concebida: es una subjetiva del protagonista (su voz queda en *off); los* inspectores interrogan *a la cámara* durante un minuto y 45 segundos sin corte, y no cuesta trabajo sentir desde la luneta el molesto desasosiego que causa la despreciativa actitud de estos personajes.

Las virtudes de *Memorias del subdesarrollo* deben buscarse, fundamentalmente, en la capacidad de la película para desentrañar no sólo el conflicto de un pequeñoburgués en medio de una revolución, sino el de toda una sociedad sacudida por esa circunstancia. En varias escenas, además de la descrita, emplea Titón la imagen subjetiva del protagonista, y creo que lo hace en un esfuerzo por reafirmar su punto de vista crítico, pero participativo, en busca de la complicidad del público no tanto con el personaje como con su actitud cuestionadora, pues es ésa justamente la que intenta rescatar de la enajenación aun cuando el personaje mismo parezca condenado a desaparecer en medio de la vorágine. Se trata, ni más ni menos, que de un afán de integración de lo mejor del pensamiento cubano a escala social en el que parece haber sido *su ideal* del proceso revolucionario, implícitamente opuesta entonces a toda forma de intolerancia por lo que esta significa en términos éticos, pero también prácticos: la inutilización de una fuerza productiva. Puede decirse del resto de su obra lo que de *Memorias del subdesarrollo:* representa el punto de vista alternativo, la expresión de una inconformidad continuamente sujeta a presiones políticas que habrá de valerse de los recursos de la inteligencia para ganarse un espacio allí donde, a todas luces, no cabría más que la expresión oficial. ¿El Quijote?

La historia como espejo

No es correcto calificar de histórica a una película por el solo hecho de que su acción transcurra en el pasado. Igual que en todas las artes, hay en el cine obras de tema fervientemente contemporáneo sobre episodios *antiguos*, y también relatos del presente con amargo sabor a fósil. Valdría la pena distinguir las motivaciones que conducen a un realizador a escoger tiempos pretéritos o futuros para su película, porque es justamente ahí donde suele definirse la cualidad del enfoque.

Con *Andrei Rubliov* (1967), por ejemplo, Tarkovski no hizo más que una parábola sobre la responsabilidad social del artista. En casos como este, la mirada tendida hacia el pasado se anima en el propósito de escapar a las circunstancias, porque es preferible la libertad de la alegoría a la limitación que el contexto impone al análisis de *la realidad*. Ocurre algo parecido con los largometrajes de Alea que siguen cronológicamente a *Memorias...*, *Una pelea cubana contra los demonios* (1971) y *La última cena* (1976). En ambos, anécdotas encontradas en ensayos históricos sirven de punto de partida al cineasta para crear dramas que obligan a volver la vista sobre lecciones no aprendidas.

Las acciones de *Una pelea cubana contra los demonios* transcurren en 1659, exactamente tres siglos antes del triunfo de la Revolución. Como ha declarado el propio director, la densidad de líneas narrativas y su mezcla en un todo formalmente ecléctico (mucha cámara en mano, bastante de sobreactuación y otro tanto de hiperaudacia dramatúrgica) hizo del filme algo poco menos que alucinante. La película demanda tanta atención hacia fenómenos del oscurantismo religioso y de las disipaciones de los contrabandistas, que se hace difícil reconocer por dónde venía el cuento: por la vindicación del utilitarismo. La historia de Cuba ha estado llena de admoniciones moralistas tras las cuales no pocas veces se han escondido ambiciones pragmáticas; antes se las calificaba de hipocresías, y ahora la gente en la isla suele llamarlas *doble moral*. Lo peor de todo, sin embargo, no ha sido tanto el oficio hipócrita como el sedimento que dejó, por efecto de una desmesurada reacción *purificadora*, en la fundación y el desarrollo del pensamiento patriótico cubano. Como dice Rafael Rojas en su ensayo *Viaje a la semilla: instituciones de la antimodernidad cubana*:

> Contra la gestión mercantil se esgrime el sentimiento patriótico, en tanto eje de la moral insular. En varios de sus textos, (Félix) Varela reclama el concurso del «primer hombre» para expulsar a los mercaderes de

la vida civil y política de Cuba. Vemos aquí el origen de una retórica de la intransigencia, en el sentido que le da Albert O. Hirschman, frente al avance acelerado de las relaciones monetario-mercantiles en Cuba. Esta retórica que sacraliza la isla, que prefiere la metáfora monacal de la isla-templo al sueño pirata del tesoro enterrado, y que sataniza el dinero, el mercado y la ciudad fue reformulada por Varela en los siete números del periódico «El Habanero», publicado en su destierro neoyorquino entre 1824 y 1826. En uno de ellos alentaba el fomento de una «opinión política» en Cuba que desarticulara la predominante «opinión mercantil». (...) Así, desde Varela, la ética cubana concibió idealmente la Patria, el estado y la cultura política como instituciones enemistadas con el Mercado, el Dinero, la Ciudad, y la racionalidad capitalista[148].

Basada en hechos históricos reseñados por el antropólogo Manuel Moreno Fraginals en su libro *El Ingenio*, *La última cena* se remonta a finales del siglo XVIII, cuando el conde de la Casa Bayona reunió a doce esclavos la víspera del Viernes Santo en un banquete antes del cual les lavó y les besó los pies, mientras predicaba que la verdadera felicidad está en aceptar el dolor con resignación. Sublevados al día siguiente contra el mayoral, porque el amo les había dicho que el Viernes Santo no se trabajaba para honrar a Dios, once de los esclavos —uno logró huir— fueron decapitados por orden del conde. Aquel fugitivo parece no haber dejado de correr desde entonces en una continua y agotadora reencarnación, y todo indica que mientras lo haga escapando de algo (a estas alturas, de sí mismo), el cubano no habrá logrado reformar los atavismos que provocaron la fuga.

La última cena fue el primer largometraje de ficción en colores de Gutiérrez Alea. Al terminar de verlo, es

---

[148] Rafael Rojas, «Viaje a la semilla: instituciones de la antimodernidad cubana», *Apuntes Postmodernos,* Miami, vol. 4, núm. 1, otoño 1993, págs. 13-14.

muy poco lo que se ha aprendido de historia; si acaso, algo sobre el aspecto superficial de las costumbres y el paisaje, lo cual depende de la calidad de una reconstrucción mucho más auténtica en otro sentido: el dramático. La imagen contextual es apenas un pretexto alusivo cargado de significaciones que se remiten al presente, con el riesgo de pasar inadvertidas si no se escruta el trasfondo del relato. Porque la actitud del conde es, en esencia, una metáfora sobre las reacciones instintivas del hombre que protege su *status* con un ideario al cual debe su jerarquía y en cuyos fundamentos no reconoce transitoriedad, sino estabilidad a toda costa. (La estabilidad forzosa convertida en fuerza desestabilizadora; el bumerán de la historia.) En vez de una abstracción sacada del presente, se trata de una cita tomada del pasado con el propósito de hacerla escalar el tiempo, por aquello de que «nada hay nuevo bajo el sol». El contexto contemporáneo aparece gracias al hallazgo de denominadores ideológicos comunes en el contexto histórico; es decir, gracias al desenmascaramiento de atavismos reaccionarios arraigados con la tradición, pero extraviados en los vericuetos de la cultura.

Al principio el conde le dice al mayoral que no se puede perder ni un solo día de trabajo para asegurar la producción de azúcar, pero momentos después, en diálogo con el capellán, dice que el Viernes Santo no se trabajará. Al final se desentiende de las obligaciones del mayoral cuando el sacerdote intenta prevenirle. Asegura que es un pecador y que «ya recibirá su castigo de mano más alta que la mía. Dejemos que él haga su trabajo». Inmediatamente, en cuanto le avisan de la sublevación de los esclavos en el ingenio, no titubea en dar la orden: «Ahora lo importante es aplastar a los sublevados.» Durante la larguísima escena de la cena, que revela mejor que cualquier otra del filme un guión impecable, el conde no cesa de hacer alarde de un discurso demagógico que hasta en los insultos de los esclavos halla pretextos para justificar su posición de explotador. Cada uno de los negros adquiere aquí personalidad definida dentro del espacio homogeneizante al que están condenados, y la historia se enriquece con una galería de caracteres entre los cuales sucumbirán primero, al final, aquellos que creyeron en la demagogia del amo. Si *Memorias...* es el blasón de Gutiérrez Alea, *La última cena* es su obra más elaborada.

ISLA Y AISLAMIENTO

En *Los sobrevivientes* (1978), una familia de la burguesía criolla se refugia en su enorme residencia para no dejarse contaminar por «los degradantes influjos de la Revolución», convencida de que la efervescencia social es transitoria y todo volverá pronto a la normalidad. Poco a poco, el encierro les obliga a envilecerse, involucionando de cada estadío social hacia el anterior hasta desembocar en el salvajismo.

El conflicto medular del filme es una suma de conflictos individuales regidos por uno mayor virtualmente insoluble: al querer sobrevivir cada cual a su manera al margen del espacio exterior, van siendo más incapaces de ponerse de acuerdo. Sólo el uso de la fuerza, que no tardará en aparecer y crear —en consecuencia— una claustrofóbica lucha por la salvación, permitirá a quienes la aplican sostener la idea original del encierro *purificador,* pero es esa misma fuerza irracional la que desata la necesidad de la alternativa opuesta (salir, no importan los peligros de allá afuera) como único horizonte. He aquí una metáfora sobre las aberraciones humanas; sobre los peligros que acarrea la sujeción incondicional a una idea fija, no importa cuán noble sea o parezca ser. A diferencia de los personajes de *El ángel exterminador,* de Buñuel, los de *Los sobrevivientes* saben —luego de haberlo elegido voluntariamente— por qué no pueden salir, lo cual hace de esta última una historia menos abstracta y, por lo tanto, más susceptible de prestarse a comparaciones con *la realidad*. Ocurre porque la actitud cuestionadora trasciende el contexto: la del autor al crear los personajes y, en correspondencia, la de los personajes mismos. Lo que ellos oponen a las circunstancias es la acumulación individual de cada uno de los componentes de sus actitudes respectivas: sus conocimientos, sus afectos y sus conductas, y estas últimas pueden ni siquiera ser activas en virtud de lo que el saldo de los dos componentes anteriores haya hecho *recomendable* según la experiencia histórica sedimentada en cada cual. De manera que la imposibilidad de llegar a un acuerdo comunmente aceptable se deriva menos de las circunstancias que de la actitud; acaso la mejor demostración de que todos son irreconciliables. Al final, Gutiérrez Alea no hace más que una galería de caracteres fácilmente reconocibles en cualquier nación subdesarrollada: el acaudalado, cuyo interés fundamental es conservar su modo de vida a toda costa; el intelectual, consciente de cuanto ocurre, pero no dispuesto a sacrificarse en una tentativa de transformación; el político astuto que aprovecha el desorden para hacerse del poder y convierte después la razón de su ascenso en el único fundamento *salvador* de la colectividad; los empleados que, amenazados por el peligro, escapan con algún botín; el especulador oportunista; el cortesano encargado de registrar los acontecimientos para la historia según las conveniencias... El tratamiento del tema recuerda aquel aforismo de Tagore: «Si le cierras la puerta a la mentira, dejarás también a la verdad fuera», y se vincula obviamente con los excesos del nacionalismo.

Hasta cierto punto (1983) está inspirado por una canción vasca que dice: «Si yo quisiera, podría cortarle las alas, y entonces sería mía; pero lo que yo amo es el pájaro.» Explorando los prejuicios que condicionan la práctica del machismo en las relaciones de pareja, la película tiende a abrir una brecha hacia el reconocimiento de los sucedáneos de esa actitud en el contexto social, pero no trasciende el impulso; sólo llega *hasta cierto punto* en la aproximación. Es lamentable, porque semejante pauta habría de conducir necesariamente muy lejos en la crítica de un tipo de vínculo que, al final, no es más que represión. Recorriendo el examen en sentido opuesto al de Freud, Gutiérrez Alea hubiese instrumentado una especie de socioanálisis que descubriera las manifestaciones menos visibles del machismo, especialmente en las relaciones sujeto-poder.

Cartas del parque (1987) y el cortometraje *Contigo en la distancia* (1992) son ejercicios de variación. Sobre estos melodramas, que técnicamente hablan de un director en plena madurez profesional, quizás baste decir que revelan necesidades expresivas coartadas una y otra vez por el sentido de la responsabilidad. Si se analiza el carácter de los argumentos de estas dos obras, podrá advertirse el énfasis del cineasta en su preferencia por los enfoques singulares aun con respecto a un tema tan afortunadamente socorrido como el del amor: lo que más debió haberle atraído de ellos es lo raramente convencionales que son. Los recursos del melodrama caen en manos de un racionalista, dando lugar a obras que en vez de dispersar su atractivo en la superficie mediante el aprovechamiento de las trampas lacrimógenas conocidas, se dedican a subrayar la fuerza emotiva que da origen a episodios de tal naturaleza; pero siempre a distancia, como si en el fondo temiera dejarse arrastrar por la emoción.

«FRESA Y CHOCOLATE»

He aquí el filme de mayor éxito de público en toda la historia de exhibición cinematográfica en Cuba, y el primero en haber sido nominado a un Oscar a la mejor película extranjera por la Academia norteamericana de cine, en 1994.

El guión fue escrito por Senel Paz, autor del cuento

Fresa y chocolate. Jorge Perugorría

en el que a su vez está basado: *El lobo, el bosque y el hombre nuevo*, Premio Juan Rulfo 1990. Es el relato de la relación que entablan Diego y David; el primero, un homosexual que se enorgullece de ser cubano, a la manera de los que disfrutan andar La Habana, leen con fruición las obras de Julián del Casal y José Lezama Lima, escuchan la música de Ernesto Lecuona y sufren como si fuera en carne propia el deterioro de la ciudad. Diego tiene el presunto defecto de haber sido dotado de sensibilidad en un medio dispuesto a discriminarla mediante una homofobia ancestral caldeada por la política. Encima, es religioso. El segundo, David, es un joven estudiante universitario para quien la *Revolución* (o sea: la política nacional) es lo que él generosa y utópicamente pretende que sea, y no lo que prácticamente es. Bajo el peso de la amistad con alguien en quien no confiaba se derrumban los prejuicios que habían gobernado la conducta de David durante años, al tiempo que descubre cuánto le falta por conocer de la cultura en cuya defensa dice estar dispuesto a arriesgar su vida.

Un personaje con las convicciones y las dudas de Diego no había aparecido en el cine cubano ni siquiera como *el malo* de la película, y otro cuyas rígidas normas morales —impuestas por la formación machista y atizadas por el culto al heroísmo— fueran desmoronándose en una progresión dramática que pasa del fanatismo a la tolerancia, tampoco fue visto antes en ese cine, ni siquiera como *el bueno* de la película. La más notoria diferencia del filme con respecto al cuento es la entrada en la historia del personaje de Nancy, sacado del largometraje de Gerardo Chijona *Adorables mentiras,* cuyo guión escribió también Senel Paz. Nancy, que ya en aquella película tenía un conflicto suficiente para merecer protagonizar otra, viene a situarse aquí en el punto intermedio del dúo Diego-David, interpretada nuevamente por Mirta Ibarra. Entre los personajes secundarios del relato es Germán, el escultor amigo de Diego, el que adquiere mayor relevancia en la versión cinematográfica.

Aunque el personaje principal y más atractivo del filme sea Diego, creo que es David el que padece un conflicto más visceral. Los dos cambian gracias a la amistad que empieza a unirlos, pero la transformación de David significará a la postre un estremecimiento mayor, porque, de un lado, la solución que le da su nuevo amigo al problema de la intolerancia no se corresponde con el esquema de actitud que él se ha impuesto a sí mismo, y del otro, sin embargo, no le queda más remedio que admitirla como única alternativa posible: la prueba de que Diego tiene razón, y de que el equivocado ha sido él. Aquel decide algo, mientras este queda en la encrucijada de las dudas que se han abierto a consecuencia de su amistad con Diego.

«Los errores no son la Revolución —grita David—. Son la parte de la Revolución que no es la Revolución». «¿Y a la cuenta de quién van?» —pregunta Diego—:

«¿Quién responde por ellos?» Atrapado en semejantes contradicciones, David puede llegar a reprocharse incluso su ingenuidad; comprender que de poco le ha servido ser leal, y cuestionarse valores legítimos hasta el límite de ver en el desarraigo la respuesta de todas las preguntas. El signo de interrogación lanzado al final es acaso más provocador que cuanto ocurre en los 108 minutos de la película. Aunque son eminentemente políticos la mayoría de los conceptos sometidos a discusión en *Fresa y chocolate,* el saldo de la historia es genuinamente humanista: la desconfianza, la intolerancia, la sospecha y la incomunicación sucumben a la voluntad de reconocimiento mutuo. El prejuicio con respecto al otro se revierte contra uno mismo.

En éste, el undécimo largometraje de ficción de Alea, se reconocen muchas de sus obsesiones, pero vuelve a ser notable que su estilo es puramente funcional. No hay más primeros planos ahora porque los prefiera a los planos medios o generales, sino sencillamente porque la historia lo demandaba, sobre todo si se tiene en cuenta que una sola de las locaciones (La Guarida, el apartamento de Diego) acumula 18 escenas que consumen alrededor de 60 minutos; la mayor parte dedicados a diálogos entre los protagonistas.

«GUANTANAMERA», O EL ABSURDO CONSUMADO

Hay algo muy significativo en los dos enfoques de un mismo tema que ha hecho Gutiérrez Alea con *La muerte de un burócrata* y *Guantanamera.* La manera de abordar el tema de la muerte —la burocracia es un asunto; en todo caso, el asunto que afecta al tema— ha cambiado porque han cambiado las circunstancias: en la primera se trataba de algo viciado que todavía la sociedad (y Titón en calidad de artista dentro de ella) reconocía como una deformación, como una excepción, como algo extraño; un virus, digamos. Por eso en la primera el

Guantanamera. Raúl Eguren, Conchita Brando

estilo necesita ir en busca de astracanadas de la más eficaz referencia posible: el cine norteamericano y, dentro
de este, Laurel y Hardy. El director asume *una manera
de decir* propiamente cómica para abordar un asunto
que en la vida cotidiana resulta enojoso (no sólo en medio de la situación límite representada por la muerte), en
espera de que la ridiculización del absurdo lo haga aún
más visible y, por lo tanto, el espectador salga del cine
dispuesto a desterrarlo. Si *Guantanamera* hubiese aparecido antes de *Fresa y chocolate,* habría podido decirse
que en vez de desterrar a la burocracia y al absurdo, los
personajes optan por desterrarse a sí mismos.

En *Guantanamera* lo cómico deja de ser un estilo,
pues ya la propia realidad es cómica. El humor, elemento formal por excelencia, pasa a ser un elemento
conceptual: lo asombroso es ordinario; la deformación
se ha insertado en la realidad al punto de formar parte
de ella; el virus es crónico. Quizás por eso Titón insista

en que ha hecho un documental. Terry Gilliam asombró a muchos cuando dijo que *Brazil* (1985) era un documental, y algo parecido está provocando Gutiérrez Alea ahora cuando afirma lo mismo de *Guantanamera*. Aquí no hay absurdo elaborado, ni siquiera sintético y alegórico, a la manera de Fritz Lang o de Eugène Ionesco[149], sino absurdo consumado. Ya lo dijo Virgilio Piñera: «Si Kafka hubiese sido cubano, en vez de haber sido un escritor del absurdo habría sido un escritor costumbrista.» Para la sociedad cubana de hoy no hay mejor denominación que la de *absurdocracia*.

Desde mi punto de vista, por ejemplo, existe dentro del filme una sola situación elaborada con propósitos cómicos que podría resultar inverosímil: la caída de espaldas del viejo cuya foto (sólo se ven los pies sobresaliendo al borde de un barranco) muestra aquella señora mientras explica cómo murió su abuelo. Todo lo demás —las escenas del cruce de trenes, de la cafetería de la funeraria, del restaurante clandestino Paladar, el cargamento oculto de plátanos y pavos en el coche fúnebre; la parturienta y el esposo que deben literalmente arriesgar sus vidas para que un vehículo se detenga y les lleve al hospital más próximo, etc.—, es perfectamente lógico en Cuba, pues dentro del absurdo sólo lo absurdo es lógico. No por gusto al principio (y felicito al autor de los créditos) se escucha un diálogo en el que una voz —la de Gutiérrez Alea— asegura: «Esto no es inventado; esto ocurrió de verdad», y luego otra —la de Juan Carlos Tabío— dice: «¡¿No jodas, chico?!»

A los extranjeros que acuden al cabaret Salón Rojo, del Hotel Capri, en La Habana, les hace mucha gracia la actuación de Juana Bacallao. Dan por seguro que

---

[149] Véase: José Antonio Évora, «El teatro de la absurdocracia, la balsa o la risa», *Cuba, la isla posible,* Barcelona, Centre de Cultura Contemporània de Barcelona, 1995, págs. 156-165.

cuanto ella hace en escena es el resultado de un minucioso trabajo de elaboración dramática; que el suyo es un personaje inventado para representaciones histriónicas, y no saben que la Juana Bacallao de la calle y de su casa es esa, que así mismo se conduce en la vida real (a propósito, ¿cuál es la vida real?); que el absurdo de su personaje es *coherente* con la sociedad donde vive, no sólo con esos reductos de impostura que suelen ser los escenarios. *Guantanamera,* lejos de haberse incubado en la fértil imaginación de alguien que quería hacer reír a los demás, es sencillamente una condensación de actitudes y de ambientes reales cuyo denominador común es el lento e inadvertido tránsito de la muerte.

El absurdo consumado de la realidad cubana ha desguazado las fronteras entre los géneros, los límites entre representación y observación, pero no de la manera que tantas vanguardias artísticas pretendieron, queriendo convertir al espectador en un protagonista capaz de verse a sí mismo, sino al revés: convirtiendo al actor en un espectador que no ve la representación de la cual ha venido haciéndose parte gradualmente, en la medida en que fue perdiendo la noción de sí mismo y llegó a despersonalizarse por completo, entregándose sin reservas al *acto colectivo* . Pero el virus venía incubándose hace rato: ya en 1887 decía Ramón Meza: «Vivimos en pleno sainete. Cada día que pasa es una escena nueva.»

En términos generales, se le atribuir pueden a la obra de este realizador cualidades estilísticas por defecto, que confirman su vocación realista: el escasísimo uso de picados o contrapicados en la fotografía; narraciones con pocos o ningún *flash back* y, por lo general, de estructuras lineales; empleo muy limitado de artificios técnicos para dotar a la imagen de otros elementos que no sean los captados directamente de la realidad...

El de Tomás Gutiérrez Alea, puede concluirse, es más un cine de síntesis y revelación que de ficción.

Biografía

1928   Nace en La Habana, el 11 de diciembre.

1943   Estudia música, hasta 1948.

1946   Matricula derecho en la Universidad de La Habana.

1947   Filma en 8 mm dos cortos humorísticos: **La caperucita roja** y **El faquir**.

1948   Filma en 16mm un documental (inconcluso) sobre el Movimiento por la Paz.

1949   Participa como camarógrafo en la filmación de un documental sobre el Primero de Mayo (inconcluso).

1950   Filma en 8mm, con actores y en colaboración con Néstor Almendros, el corto humorístico **Una confusión cotidiana**, basado en el relato homónimo de F. Kafka.

Colabora en la revista estudiantil "Saeta".

Preside el Comité por la Paz en la Escuela de Derecho de la Universidad de La Habana.

Es secretario del Comité Organizador del III Festival Mundial de la Juventud y de los Estudiantes que se celebró en Berlín al año siguiente.

Participa en la fundación de la sociedad cultural Nuestro Tiempo (Primera etapa).

1951   Se gradúa de abogado.

Marcha a Roma a estudiar dirección cinematográfica en el Centro Sperimentale di Cinematografia.

1952   Forma parte de un grupo de latinoamericanos residentes en Roma que fundan la Asociazzione Latinoamericana y su boletín, "Voci dell'America Latina".

	Asiste al Congreso de la Unión Internacional de Estudiantes celebrado en Bucarest.
1953	Se gradúa en el Centro Sperimentale di Cinematografia con el trabajo de curso *Il sogno di Giovanni Bassain.*
	De regreso a Cuba se reintegra a la sociedad cultural Nuestro Tiempo.
1954	Lee en Nuestro Tiempo la conferencia *Realidades del cine en Cuba.* Colabora en la Sección de Cine y forma parte del Comité de Dirección de la revista de la Sociedad.
1955	Colabora con Julio García Espinosa en la dirección de **El Mégano**, mediometraje en 16mm sobre la vida de los carboneros de la Ciénaga de Zapata que luego es secuestrado por la policía.
1956	Comienza a dirigir los cortos de **Cine-Revista** (pequeños documentales, reportajes y cortos humo- rísticos y publicitarios, en 35mm).
1958	Filma en **Cine-Revista**, con grabados de la época, el documental **La Habana 1761**, sobre la toma de La Habana por los ingleses.
	Publica dibujos humorísticos en las revistas "Actualidad", "Criolla" y "Carteles".
1959	Organiza, con García Espinosa, la sección de cine de la Dirección de Cultura del Ejército Rebelde. Dirige, con la colaboración de García Espinosa, el primer documental realizado después del triunfo de la Revolución: **Esta tierra nuestra** (19'), sobre las condiciones de vida del campesinado y los cambios que debe propiciar la Reforma Agraria. Participa en la fundación del Instituto Cubano del Arte e Industria Cinematográficos (ICAIC), de cuyo consejo de dirección forma parte hasta 1961.
	Publica dibujos humorísticos en el semanario "El Pitirre".
1960	Realiza el primer largometraje de ficción **Historias de la Revolución** (81') y el documental **Asamblea general** (14'), este último sobre la Primera Declaración de La Habana.
	Asiste como delegado al I Congreso Nacional de Escritores y Artistas organizado por la UNEAC.
	Es miembro fundador de la Uneac y forma parte,

	hasta 1964, del consejo de redacción de "La Gaceta de Cuba".
1961	Participa como corresponsal de guerra en Playa Girón y realiza, para el Noticiero Icaic Latinoamericano que dirige Santiago Alvarez, el documental **Muerte al invasor** (15').
1962	Termina **Las doce sillas** (90'). Dicta un ciclo de conferencias sobre Billy Wilder en el Palacio de Bellas Artes.
1963	Forma parte de la delegación a la primera Semana de Cine Cubano en Checoslovaquia. Presenta **Las doce sillas** en su estreno en Moscú. Se publica el guión de **Las doce sillas**, escrito en colaboración con Ugo Ulive (La Habana, Ediciones ICAIC).
1964	Termina **Cumbite** (82'). Excepcionalmente, trabaja como actor **La jaula**, un cortometraje de ficción dirigido por Sergio Giral, interpretando el papel del médico.
1966	Termina **La muerte de un burócrata** (85') y la presenta en el XV Festival Internacional de Cine de Karlovy Vary, Checoslovaquia. Escribe el argumento y colabora en la dramaturgia del largometraje de ficción **Papeles son papeles**, que dirige Fausto Canel.
1968	Termina **Memorias del subdesarrollo** (97') y la presenta en la Muestra del Cine Nuevo de Pesaro, Italia, y en el XVI Festival Internacional de Cine de Karlovy Vary, Checoslovaquia.
1971	Termina **Una pelea cubana contra los demonios** (130')
1972	Presenta **Una pelea cubana contra los demonios** en la Muestra del Cine Nuevo de Pesaro y en el Festival Internacional de Cine de Karlovy Vary, Checoslovaquia.
1973	Forma parte de la delegación cubana a la Muestra del Cine Nuevo de Pesaro, Italia. Se publica el guión de **Memorias del subdesarrollo** en los Estados Unidos (*Memories of Underdevelopment: The Revolutionary Films of Cuba*. Edited by Michael Myerson. New York, Grossman Publishers).

1974	Colabora en la dramaturgia de los largometrajes **El otro Francisco** y **De cierta manera**, de Sergio Giral y Sara Gómez, respectivamente.
	Realiza el documental **El arte del tabaco** (7').
	Forma parte de la delegación cubana a la Muestra del Cine Nuevo de Pesaro, Italia y a la primera Semana de Cine Cubano en Caracas.
1975	Forma parte de la delegación cubana a la primera Semana de Cine Cubano en El Cairo, Aden y Bagdad, respectivamente.
1976	Termina **La última cena** (120') y la presenta en la Muestra del Cine Nuevo de Pesaro, Italia.
1977	Forma parte de la delegación cubana a la primera Semana de Cine Cubano en las ciudades de Madrid, Barcelona y Valencia, Esopaña, respectivamente.
	Se publica en la India la traducción al bengalí del guión de **Memorias del subdesarrollo** (Calcuta, ediciones del Cine Central).
	Dirige los rodajes en Azerbaidzhan de una de las partes del documental de largometraje **La sexta parte del mundo**, coordinado y dirigido por Julio García Espinosa.
1978	Termina **Los sobrevivientes** (130').
	Termina, en colaboración con Constante Diego, el documental **El camino de la mirra y el incienso** (17'), sobre la Revolución Yemenita.
1979	Es delegado al II Congreso de la Unión de Escritores y Artistas de Cuba (Uneac).
	Se realiza una retrospectiva de su obra en Ciudad México.
	Asiste al homenaje y retrospectiva de su obra como parte del Festival Internacional Cinematográfico de San Francisco, California.
	En la conferencia sobre Cuba (National Conference on Cuba) patrocinada por el Center for Cuban Studies, en Nueva York, participa como comentarista en el panel «Cuban Cultural Policy: The Role of the Intellectual» y como ponente en el panel «The New Cuban Cinema». Asiste también a una retrospectiva de su obra. Forma parte de la delegación cubana a los festivales de Cine celebrados en Berlín y en Cannes. En este último se presentó su filme

Tomás Gutiérrez Alea y su hijo Saulius. París, octubre de 1992

Los sobrevivientes.
Asiste a la primera Semana de Cine Cubano en
Toronto, Montreal y Ottawa, Canadá, respectiva-
mente.

1980   Da a conocer, en edición mimeografiada del Icaic,
su ensayo *Dialéctica del espectador*.
Participa en el Festival Internacional de Cine de
Bangalore, India, con el filme **Los sobrevivientes**.

1981   Se traduce al italiano *Dialéctica del espectador* (En
Teorie e pratiche del cinema cubano, Venecia,
Marsilio Editore).
Forma parte de la delegación que asiste a la primera
Semana de Cine Cubano en Sidney, Australia.
Participa como delegado al Encuentro de
Intelectuales por la Soberanía de los Pueblos de
Nuestra América, auspiciado por la Casa de las
Américas, La Habana, Cuba.
Participa en el II Encuentro Internacional de
Escritores celebrado en Ciudad México.
Preside el jurado del Tercer Concurso Nacional de

Cine auspiciado por la Uneac.

Recibe la distinción «Por la Cultura Nacional», que otorga el Ministerio de Cultura.

1982   Se publica *Dialéctica del espectador* (La Habana, Ediciones Unión).

Forma parte del jurado del Premio de Fotografía Cubana organizado por el Ministerio de Cultura.

Participa en el seminario sobre dramaturgia celebrado en el IV Festival Internacional del Nuevo Cine Latinoamericano con la ponencia «Dramaturgia (cinematográfica) y realidad».

Recibe del Consejo de Estado de la República de Cuba la medalla conmemorativa «Victoria de Playa Girón» y la medalla «Combatiente de la lucha clandestina».

1983   Termina **Hasta cierto punto** (68').

Integra el jurado del IX Festival Internacional de Cine de Nueva Delhi, India.

Participa en la Conferencia sobre el Cine del Tercer Mundo, patrocinada por el Hunter College, de Nueva York.

Forma parte de la delegación a la cuarta Semana de Cine Cubano en Managua, Nicaragua.

Forma parte de la delegación a la primera Semana de Cine Cubano en San Juan, Puerto Rico.

Participa en la Primera Asamblea Mundial de Realizadores de Cine celebrada en Funchal, Madeira (Portugal).

Se publica en México *Dialéctica del espectador* (México D.F., Federación Editorial Mexicana).

Obtiene por *Dialéctica del espectador* el Premio de la Crítica, que otorga el Ministerio de Cultura de Cuba a las mejores obras literarias publicadas el año anterior.

1984   Asiste al XXIV Festival Internacional de Cine de Berlín y al XXVII Festival Internacional de Cine de San Francisco con **Hasta cierto punto**.

Se realiza una retrospectiva de su obra en dos ciudades de la India: Nueva Delhi y Trivandrun (Kerala).

Participa en los Encuentros de Cine Iberoamericano patrocinados por la Dirección General de Cinematografía del Ministerio de Cultura de España.

En Madrid (septiembre)

Se publica en Brasil la traducción al portugués de *Dialéctica del espectador* (Sao Paulo, Summus Editorial).

1985   Se realiza en Nueva York una retrospectiva de su obra, con el estreno de **Hasta cierto punto**.

Como invitado al Festival Internacional de Cine y Televisión de Río de Janeiro, asiste a la presentación del libro de Silvia Oroz: *Tomás Gutiérrez Alea: os filmes que nao filmei*.

1986   Es invitado a participar en un encuentro de escritores, realizadores cinematográficos y críticos de distintas partes del mundo —«The Challenge of Third World Culture»— en la Universidad de Duke, Carolina del Norte, Estados Unidos, pero no le conceden el visado (25-27 septiembre).

1987   El Ministro de las Fuerzas Armadas Revolucionarias (FAR) le otorga una réplica del machete del General Máximo Gómez (16 abril).

Asume la dirección de uno de los tres Grupos de Creación del Icaic, actualmente inactivos.

En el marco del Festival Internacional del Nuevo Cine Latinoamericano de La Habana se presenta el libro *Alea: una retrospectiva crítica,* selección y prólogo de Ambrosio Fornet (Editorial Letras Cubanas).

1988   Termina **Cartas del parque** (85') y la presenta en el Festival Internacional de Cine de San Sebastián, España.

Obtiene la categoría docente de Profesor Titular Adjunto en el Instituto Superior de Arte.

Es invitado a formar parte del jurado del Primer Festival de Cine de San Juan (Puerto Rico) en octubre, pero no le conceden el visado.

Es invitado a participar en el Festival de Denver, Colorado, pero no le conceden el visado (octubre).

El Consejo de Estado le otorga la orden *Félix Varela de Primer Grado*.

Asiste a la presentación de la serie televisiva **Amores difíciles**, de la cual forma parte el filme **Cartas del parque**, en la Semana Internacional de Cine de Valladolid (octubre).

Se presenta una retrospectiva de su obra en la Escuela Internacional de Cine y Televisión de San Antonio de los Baños, La Habana, Cuba.

Se publica la traducción al inglés de *Dialéctica del espectador (Viewer's Dialectic)* (Editorial José Martí).

1989   Presenta el filme **Cartas del parque** en el United States Film Festival y participa en el panel «Contemporary Latin American Cinema» (Park City, Utah, 20-29 enero).

Participa en la conferencia internacional sobre «Alta cultura/cultura popular» en Bellagio, Lago Como, Italia (marzo), donde presenta la ponencia titulada *El verdadero rostro de Calibán.*

Durante las celebraciones del 30 Aniversario del Icaic asiste a la presentación libro de Silvia Oroz: *Tomás Gutiérrez Alea: los filmes que no filmé*, editado por la UNEAC.

Participa como asesor en los Talleres de Realización Cinematográfica que tienen lugar en junio en el Sundance Institute, Utah, Estados Unidos.

Asiste en Londres a una retrospectiva de sus filmes —organizada por el British Film Institute— en el National Film Theatre durante los meses de octubre y noviembre.

1990   Forma parte muy activa del grupo de cineastas del Instituto Cubano del Arte e Industria Cinematográficos (Icaic) que se oponen a la subordinación de este al Instituto Cubano de Radio y Televisión (Icrt), directamente controlado por la Secretaría Ideológica del Comité Central del Partido Comunista. El conflicto, al que se suma como elemento detonador la aparición del filme **Alicia en el pueblo de Maravillas**, de Daniel Díaz Torres, termina con el regreso de Alfredo Guevara a la presidencia del Icaic.

Presenta filmes cubanos en Colonia, Munster, Bremen y Hamburgo, Alemania. (junio).

Se publica en Estados Unidos el guión de *Memorias del subdesarrollo* (Rutgers University Press) con una introducción de Michael Chanan, en la colección «Rutgers Films in Print» (junio).

Asiste como invitado al 2º San Juan Cinemafest/
Festival de CineSanJuan en Puerto Rico (octubre).

1991   Dirige en México **Contigo en la distancia** (27')
para la serie de televisión **Con el amor no se
juega** del Escritorio de García Márquez.
Producciones Amaranta.

Asiste como invitado a la VI Muestra de Cine
Mexicano en Guadalajara (marzo).

Presenta cuatro de sus filmes (**Memorias del subdesarrollo**, **La muerte de un burócrata**, **La
última cena** y **Cartas del parque**) y participa en el
coloquio con el público en la State University of
New York (Albany), invitado por el New York State
Writers Institute (mayo).

Asiste como invitado al Festival de Cine de Huesca
—Homenaje a Carlos Saura— (junio).

Asiste como invitado al Festival Internacional de
Cine de Toronto (septiembre).

La Cinemateca de Cuba presenta una retrospectiva
de sus películas (septiembre).

Asiste a la Semana Internacional de Cine de
Valladolid, donde se exhibe **Memorias del subdesarrollo** entre el conjunto de filmes presentados en
la muestra Antología del Cine Latinoamericano
(octubre).

1992   Asiste en Niteroi (Brasil) a un encuentro de solidaridad con Cuba (enero).

Asiste al Festival Internacional de Cine de San
Sebastián donde se presenta **La última cena** como
parte de la muestra «La otra orilla».

1993   Obtiene una de las becas que otorga la John Simon
Guggenheim Memorial Foundation (junio).

Tiene a su cargo el discurso inaugural, *Another
Cinema, Another World, Another Society*, de la
oncena reunión anual de la Association for Third
World Studies en la Pacific Lutheran University en
Tacoma, Washington, Estados Unidos (octubre).

Termina, en co-dirección con Juan Carlos Tabío,
Fresa y chocolate, coproducción Cuba-España-
México (108') y la presenta en el XV Festival
Internacional del Nuevo Cine Latinoamericano, La
Habana, Cuba (diciembre).

1994	Asiste al XLIV Festival Internacional de Cine de Berlín donde presenta **Fresa y chocolate**. (marzo). Presenta en España una retrospectiva de su obra organizada por Casa de América (Madrid) y Filmoteca Española, la cual también es exhibida en la Filmoteca Canaria. (marzo)

1994   Asiste al XLIV Festival Internacional de Cine de
        Berlín donde presenta **Fresa y chocolate**. (marzo).
        Presenta en España una retrospectiva de su obra
        organizada por Casa de América (Madrid) y
        Filmoteca Española, la cual también es exhibida en
        la Filmoteca Canaria. (marzo)
        La Filmoteca Canaria publica el libro *Tomás
        Gutiérrez Alea: poesía y revolución*.
        Se presenta una retrospectiva de su obra en los
        6èmes Rencontres Cinémas d'Amérique Latine,
        Toulouse, Francia. (marzo)
        En junio, asiste al homenaje que le organiza el
        Festival de Cine de Huesca, España, donde se
        publica el libro *Tomás Gutiérrez Alea*, en el cual
        venía trabajando desde 1992 con José Antonio
        Évora.
1995   Termina, en co-dirección con Juan Carlos Tabío,
        Guantanamera, que se estrena con su presencia
        —junto a Mirta Ibarra, Carlos Cruz y Jorge
        Perugorría— el 1º de septiembre de en Madrid.
        Presenta **Guantanamera** en la Muestra
        Internacional de Cine de Venecia, Italia. (agosto)

Filmografía

La caperucita roja
1947
8mm/ BN

El faquir
8 mm/BN

Movimiento por la paz
1948

Datos técnicos   **16 mm/BN** (inconcluso)
Documental sobre el Movimiento por la Paz en Cuba, filmado con
Néstor Almendros.

Primero de mayo
1949

Datos técnicos   **16 mm/BN** (inconcluso)
Reportaje sobre la concentración convocada por el Partido Socialista
Popular. Filmado con Néstor Almendros y otros camarógrafos.

Una confusión cotidiana
1950

Equipo técnico-artístico
Dirección y guión   **Tomás Gutiérrez Alea**. Basado en un
                           cuento breve de **F. Kafka**
Fotografía   **Néstor Almendros** y
                           Tomás Gutiérrez Alea

Datos técnicos   **8 mm/BN**

209

Intérpretes	Vicente Revuelta
	Julio Matas
	Esperanza Magaz

Il sogno de Giovanni Bassain
1953

Equipo técnico-artístico

Dirección	**Filippo Perrone**
Director asistente	**Tomás Gutiérrez Alea**
Argumento	**Tomás Gutiérrez Alea**
Guión	**Filippo Perrone** y **Tomás Gutiérrez Alea**
Dirección de Fotografía	**Giuliano Santi**
Operadores de cámara	**Giancarlo Cecchini, Giancarlo Pizzirani**
Escenografía	**Paolo Falchi**
Vestuario	**Luciana Angelini**
Sonido	**Romano Mergé**
Director de producción	**Giuseppe Orlandini**

| **Datos técnicos** | **35 mm/BN/40'** |

Intérpretes	**Marco Guglielmi**
	Fulvia Lumachi
	Nando Cicero
	Elio Guarino
	Giulio Paradisi
	Claudio Coppetti
	Livia Contardi

Trabajo de fin de curso en el Centro Sperimentale di Cinematografia de Roma.

El Mégano
1955

Colaboración en la dirección. Mediometraje de ficción basado en la vida de los carboneros de la Ciénaga de Zapata dirigido por **Julio García Espinosa**.

| **Datos técnicos** | **16 mm/BN/40'** |

Cine-Revista
1956-59

Pequeños documentales, reportajes y cortos humorísticos y publicitarios que se editaban semanalmente.

Esta tierra nuestra
1959

Equipo técnico-artístico

Dirección	**Tomás Gutiérrez Alea**, con la colaboración de **Julio García Espinosa**
Asistente de dirección	**Manuel Octavio Gómez**
Argumento	**Julio García Espinosa**
Guión	**Julio García Espinosa** y **Tomás Gutiérrez Alea**
Texto de la narración	**Tomás Gutiérrez Alea**
Fotografía	**Jorge Herrera**
Música	**Juan Blanco**
Sonido	**Eugenio Vesa**
Edición	**Tomás Gutiérrez Alea**
Producción	**Dirección de Cultura del Ejército Rebelde e Instituto Cubano del Arte e Industria Cinematográficos (ICAIC)**

Datos técnicos	**35 mm/BN/19'**

Documental sobre las dramáticas condiciones de vida del campesino en Cuba y los cambios que debe propiciar la Reforma Agraria.

Premios	Certificado al Mérito. Festival Internacional de Cine Agrario. Berlín, RFA, 1960. Diploma de Honor. XIII Festival Internacional de Cine. Locarno, Suiza, 1960.

Historias de la Revolución
I-El herido II-Rebeldes III-Santa Clara
1960

Equipo técnico-artístico

Dirección	**Tomás Gutiérrez Alea**
Directores asistentes	**Manuel Octavio Gómez** (I y II) y **Manuel Pérez** (III)
Argumento	**Tomás Gutiérrez Alea** (I y II) y **José Hernández** (III)
Guión	**Tomás Gutiérrez Alea, Humberto Arenal** y **José Hernández**
Dirección de fotografía	**Otello Martelli** (I y II) y **Sergio Véjar** (III)
Operadores de cámara	**Arturo Zavattini** (I y II) y **Hugo Velazco** (III)
Música	**Carlos Fariñas** (I), **Harold Gramatges** (II) y **Leo Brouwer** (III)
Sonido	**Eugenio Vesa** (I), **José L. Antuña** (II) y **Alejandro Caparrós** (III)
Edición	**Mario González** y **Carlos Menéndez**
Escenografía	**Roberto Miqueli**
Vestuario	**Carmelina García** (Guardarropía)
Maquillaje	**Israel Fernández**
Director de producción	**Saúl Yelín**
Producción	**ICAIC**

Datos técnicos	**35 mm/BN/81'**
Inicio del rodaje	**Enero de 1960**
Estreno	**30 de diciembre de 1960**
Cines	**La Rampa, Payret** (La Habana)

Intérpretes	(I) **Eduardo Moure**
	Lilian Llerena
	Reinaldo Miravalles
	(II) **Francisco Lago**
	Blas Mora
	Enrique Fong
	Encarnito Rojas
	Tomás Rodríguez
	Pascual Zamora

(III) **Calixto Marrero**
Miriam Gómez
Bertina Acevedo

Tres momentos de la lucha revolucionaria contra Batista:
el asalto al Palacio Presidencial y la insurgencia clandestina en la
ciudad; la lucha en la Sierra Maestra, y la toma de la ciudad de Santa
Clara, que marca el triunfo de la Revolución.

Premios	Premio de la Unión de Escritores de la URSS. II Festival Internacional de Cine. Moscú, URSS, 1961.
	Mención especial. III Reseña Cinematográfica de Cine Latinoamericano. Sestri Levante, Italia, 1962.
	Premio especial. Festival Internacional de Cine. Melbourne, Australia, 1962.
	Diploma de honor. I Festival Internacional de Cine. Phnom Penh, Cambodia, 1968.

Asamblea general
1960

Equipo técnico-artístico

Dirección	**Tomás Gutiérrez Alea**
Fotografía	**Ramón F. Suárez**, **Néstor Almendros**, **Jorge Haydú**, **Luis Marzoa**, **Arturo Agramonte**, **Gustavo Maynulet**
Edición	**Angel López**
Director de producción	**Antonio Henríquez**
Producción	**ICAIC**

Datos técnicos	**35 mm/BN/14'**

Documental sobre la concentración del 2 de septiembre de 1960,
cuando se aprobó la I Declaración de La Habana.

Muerte al invasor
1961

Dirección	**Tomás Gutiérrez Alea**
Fotografía	**Pablo Martínez**, **Julio Simoneau** y **Mario Ferrer**
Sonido	**Alejandro Caparrós**
Edición	**Tomás Gutiérrez Alea** y **Jorge Fraga**
Director de producción	**Santiago Alvarez**
Producción	**ICAIC**, Noticiero Latinoamericano núm. 47

Datos técnicos   **35 mm/BN/15'**

Reportaje sobre la batalla de Girón.

Premios   Filme notable del año (compartido). V Festival de Cine de Londres. Inglaterra, 1961. Premio al mejor programa de conjunto (filmes cubanos). Festival Internacional de Cine Documental y de Cortometraje, Leipzig, R.D.A., 1961.

Las doce sillas
1962

Dirección	**Tomás Gutiérrez Alea**
Director asistente	**Fausto Canel**
Argumento	Basado en la novela homónima de **Ilya Ilf** y **Eugene Petrov**
Guión	**Tomás Gutiérrez Alea** y **Ugo Ulive**
Director de fotografía	**Ramón F. Suárez**
Operador de cámara	**Pablo Martínez**
Música	**Juan Blanco**
Sonido	**Eugenio Vesa**, **Mario Franca**
Edición	**Mario González**
Escenografía	**Pedro García Espinosa**
Vestuario	**Carmelina García** (Guardarropía)
Maquillaje	**Rolando Zaragoza**
Directora de producción	**Margarita Alexandre**
Producción	**ICAIC**

Datos técnicos	**35 mm/BN/90'**
Inicio del rodaje	**Octubre de 1961**
Estreno	**17 de diciembre de 1962**
Cines	**La Rampa**, **América** (La Habana)

Intérpretes	**Enrique Santisteban**
	Reinaldo Miravalles
	René Sánchez
	Max Beltrán
	María Pardo
	Manuel Pereiro
	Gilda Hernández
	Raúl Xiqués
	Pilín Vallejo
	Idalberto Delgado
	Ana Viña
	Pedro Martín Planas
	Julio Matas
	Yolanda Zamora
	Silvia Planas
	Humberto García Espinosa
	María Granados

Comedia satírica. Un acaudalado que ha perdido sus propiedades con la Revolución se propone recuperar una silla en la cual se esconden joyas de la familia. Para hacerlo contará con la complicidad de su ex sirviente, que ahora es quien manda.

Premios	Diploma de honor de la Unión de Trabajadores del Cine de la URSS. III Festival Internacional de Cine. Moscú, URSS, 1963. Seleccionado entre los filmes más destacados del año. Selección Anual de la Crítica. La Habana, 1962.

Cumbite
1964

Equipo técnico-artístico

Dirección	**Tomás Gutiérrez Alea**
Directores asistentes	**Manuel Herrera** y **Sara Gómez**
Argumento	Basado en la novela *Gobernadores del rocío*, de **Jacques Roumain**
Guión	**Onelio Jorge Cardoso** y **Tomás Gutiérrez Alea**
Director de fotografía	**Ramón F. Suárez**
Operador de cámara	**José López**
Música	**Papito Hernández, Tata Güines, Oscar Valdés** y **Enrique Simón**
Sonido	**Eugenio Vesa, Carlos Fernández** y **Ricardo Iztueta**
Edición	**Mario González** y **Amparo Laucirica**
Escenografía	**Salvador Fernández**
Vestuario	**Elba Pérez** (Guardarropía)
Maquillaje	**Isabel Amézaga**
Directora de producción	**Margarita Alexandre**
Producción	**ICAIC**

Datos técnicos   **35 mm/BN/82'**

Inicio del rodaje	**Julio de 1963**
Estreno	**31 de agosto de 1964**
Cines	**América, La Rampa, Los Angeles, Metropolitan** (La Habana)

Intérpretes

Teté Vergara
Lorenzo Louiz
Martha Evans
Luis Valera
Rafael Sosa
Polinise Jean
Ambroise Macombe
Elvira Cervera
Victoria Nápoles
Leonardo Morales
Ti-Bombon

                 Catti
                 Emilio O'Farrill
                 Pequi Pérez
                 Jorque Prieto
                 Dalia Timitoc

Una comunidad haitiana en busca de agua para sus tierras.

Premios   Medalla de plata (invitación especial).
                             Festival Internacional de Cine. Cork, Irlanda,
                             1966.

Papeles son papeles
1966

Equipo técnico-artístico
Director   **Fausto Canel**

Datos técnicos   35 mm/BN

Argumento y dramaturgia. Largometraje del género policial.

La muerte de un burócrata
1966

Equipo técnico-artístico
Dirección   **Tomás Gutiérrez Alea**
Director asistente   **José Antonio Jorge**
Argumento   **Tomás Gutiérrez Alea**
Guión   **Alfredo del Cueto**, **Ramón F. Suárez** y
                             Tomás Gutiérrez Alea
Director de fotografía **Ramón F. Suárez**
Operador de cámara   **José López**
Música   **Leo Brouwer**
Sonido   **Eugenio Vesa**, **Adalberto Jiménez**, **Carlos**
                             Fernández y **Ricardo Iztueta**
Edición   **Mario González**
Escenografía   **Luis Márquez**
Vestuario   **Elba Pérez** (Guardarropía)
Maquillaje   **Mary Ventura** y **Magaly Pompa**

Directora de producción	**Margarita Alexandre**
Producción	**ICAIC**
Datos técnicos	**35 mm/BN/85'**
Inicio del rodaje	**Octubre de 1965**
Estreno	**24 de julio de 1966**
Cines	**Payret**, **Trianón**, **Ambassador**, **Alameda** (La Habana)
Intérpretes	**Salvador Wood**
	Manuel Estanillo
	Silvia Planas
	Gaspar de Santelices
	Pedro Pablo Astorga
	Carlos Gargallo
	Fausto Rodríguez
	Laura Zarrabeitía
	Tania Alvarado
	Roberto Gacio
	Rafael Sosa
	Alicia Bustamante
	Rolando Vidal
	Rafael Díaz
	Rolando de los Reyes

Comedia satírica sobre la burocracia. El sobrino de un obrero ejemplar que fue enterrado con su carné de trabajador intenta recuperar el documento para que su tía pueda cobrar la pensión que le corresponde como viuda.

Premios	Premio Especial del Jurado. XV Festival Internacional de Cine, Karlovy Vary. Checoslovaquia, 1966. Seleccionado por los mejores créditos del año 1978. Círculo Dominicano de Críticos de Cine. República Dominicana, 1979. Seleccionado como el mejor largometraje cubano exhibido en 1966. Selección Anual de la Crítica. La Habana, 1966.

Memorias del subdesarrollo
1968

Equipo técnico-artístico

Dirección	**Tomás Gutiérrez Alea**
Primera asistente	**Ingerborg Holt Zeeland**
Asistente	**Jesús Hernández**
Argumento	Basado en la novela homónima de **Edmundo Desnoes**
Guión	**Tomás Gutiérrez Alea** y **Edmundo Desnoes**
Director de fotografía	**Ramón F. Suárez**
Operadores de cámara	**Rodolfo López, Ramón F. Suárez**
Música	**Leo Brouwer**
Sonido	**Eugenio Vesa, Germinal Hernández** y **Carlos Fernández**
Edición	**Nelson Rodríguez**
Escenografía	**Julio Matilla**
Vestuario	**Elba Pérez** (Guardarropía)
Maquillaje	**Isabel Amézaga**
Director de producción	**Miguel Mendoza**
Producción	**ICAIC**

Datos técnicos	**35 mm/BN/97'**
Inicio del rodaje	**Febrero de 1967**
Estreno	**19 de agosto de 1968**
Cines	**América, Radiocentro, Mónaco, Tosca, City Hall, Metropolitan** (La Habana)

Intérpretes	**Sergio Corrieri**
	Daisy Granados
	Eslinda Núñez
	Beatriz Ponchova
	Gilda Hernández
	René de la Cruz
	Omar Valdés
	Ofelia González
	Eduardo Casado Revuelta
	Rafael Sosa
	José Gil

Julio Vega
Fausto Pinelo
Tomás Gutiérrez Alea

1962. Sergio, un intelectual *dilettante*, se niega a acompañar a su familia que parte al exilio en los Estados Unidos. Queda como un espectador de la realidad, incapaz de integrarse socialmente.

Premios

Premio extraordinario del Jurado de Autores, Premio de la FIPRESCI y Premio de la FICC. XVI Festival Internacional de Cine. Karlovy Vary, Checoslovaquia, 1968. Mención Especial del Jurado de la FICC. Festival de Cine Joven. Hyeres, Francia, 1970.

Premio Sirena de Varsovia, del Club de la Crítica. Varsovia, Polonia, 1970.

Diploma de selección. Festival de Londres. Inglaterra, 1971.

Premio Rosenthal de la Asociación de Críticos Cinematográficos de los Estados Unidos. New York, U.S.A, 1973.

Selección Anual del "New York Times" (Los diez mejores filmes exhibidos en Estados Unidos en 1973). New York, U.S.A., 1973.

Premio Charles Chaplin de la Agrupación de Jóvenes Críticos Cinematográficos. New York, U.S.A., 1973.

Segundo premio. Festival de Cine Semana Cultural «Alcances». Cádiz, España, 1975.

Seleccionado entre los diez filmes más importantes del cine iberoamericano en la encuesta realizada entre los críticos de España, Portugal y América Latina. Festival de Huelva. España, 1981.

Premio a la importancia y relevancia de un filme. Festival de Capacitación de Críticos de Cine de la Universidad de Ponce. Puerto Rico, 1981.

Seleccionado (lugar 91) entre los 150 filmes que conforman la historia del cine mundial. Encuesta realizada por la Federación Internacional de Cine Clubes (FICC) en 1985.

Seleccionado por la revista norteamericana
"Cineaste" entre los diez mejores filmes políticos realizados entre 1967 y 1987. ("Cineaste",
Vol. XVI, núms. 1-2, 1987).
Seleccionado entre los diez mejores filmes
del año. Selección Anual de la Crítica. La
Habana, 1968.

Una pelea cubana contra los demonios
1971

Dirección	**Tomás Gutiérrez Alea**
Asistentes	**Manuel Pérez**, **Lázaro Gómez** y **Jesús Gregorio**
Argumento	**Tomás Gutiérrez Alea** con la colaboración de **José Triana**, **Vicente Revuelta** y **Miguel Barnet**
Director de fotografía	**Mario García Joya**
Operadores de cámara	**Mario García Joya**, **José López** y **Julio Valdés**
Música	**Leo Brouwer**
Sonido	**Germinal Hernández**
Edición	**Nelson Rodríguez**
Escenografía	**Vittorio Garatti**, **Pedro García Espinosa** y **Roberto Larrabure**
Diseño de vestuario	**Jesús Ruiz**
Maquillaje	**Nancy Amaral**
Director de producción	**Camilo Vives**
Producción	**ICAIC**

Datos técnicos	**35 mm/BN/130'**
Inicio del rodaje	**Septiembre de 1970**
Estreno	**23 de marzo de 1972**
Cines	**América, Mónaco, Metropolitan, Florida, City Hall** (La Habana)
Intérpretes	**José Antonio Rodríguez**
	Raúl Pomares
	Silvano Rey
	Marés González
	Olivia Belizaires
	Reynaldo Miravalles

Verónica Lynn
Armando Bianchi
Ada Nocetti
Elio Mesa
Luis Alberto García
Donato Figueiral
Armando Suárez del Villar
Blas Rivero
Oscar Hurtado
Vicente Revuelta (padre)
José Luis Posada
Edgardo Carulla
Maguel Carazu
Carlos Ruiz de la Tejera

Largometraje inspirado en incidentes que ocurrieron en el siglo XVII en la villa de Remedios y que giran alrededor del fanatismo religioso.

Premios   Premio CIDALC (Comité Internacional para la Difusión de las Artes y las Letras a través del Cine). XVIII Festival Internacional de Cine. Checoslovaquia, 1972.

De cierta manera
1974

Equipo técnico-artístico
Directora   **Sara Gómez**
Datos técnicos   **16 mm/BN**
Dramaturgia. Largometraje sobre el marginalismo en la sociedad cubana.

El otro Francisco
1974

Equipo técnico-artístico
Director   **Sergio Giral**
Datos técnicos   **35 mm/BN**
Dramaturgia. Largometraje de ficción sobre el tema de la esclavitud en Cuba.

El arte del tabaco
1974

Equipo técnico-artístico

Dirección	**Tomás Gutiérrez Alea**
Argumento	**Mario García Joya**
Director de fotografía	**Mario García Joya**
Música	*Danzón Liceo del Pilar*, de **Rodrigo Prats**
Edición	**Rolando Baute**
Director de producción	**Guillermo García**
Producción	**ICAIC**

Datos técnicos   **35 mm/Color/7'**

Breve documental en que se muestran momentos de la confección de los tabacos y las litografías que adornan sus envases.

La batalla de Guisa
1974

Equipo técnico-artístico

Dirección	**Tomás Gutiérrez Alea**, en fase de filmación
Datos técnicos	**16 mm/BN/inconcluso**

Documental basado en testimonios sobre la toma del poblado de Guisa por el Ejército Rebelde.

El camino de la mirra y el incienso
1975

Equipo técnico-artístico

Dirección	**Tomás Gutiérrez Alea**, en fase de filmación en Yemen
Datos técnicos	**16 mm/BN/inconcluso**

Documental sobre Yemen, terminado después por Constante Diego.

La última cena
1976

Equipo técnico-artístico

Dirección	**Tomás Gutiérrez Alea**
Asistentes	**Constante Diego**, **Zita Morriña** y **Roberto Viña**
Argumento	**Tomás Gutiérrez Alea**
Guión	**Tomás González** y **Tomás Gutiérrez Alea**. Colaboración de **María Eugenia Haya** y **Constante Diego**
Director de fotografía	**Mario García Joya**
Operadores de cámara	**Mario García Joya**, **Julio Valdés**
Música	**Leo Brouwer**
Sonido	**Germinal Hernández**
Edición	**Nelson Rodríguez**
Escenografía	**Carlos Arditti**
Diseño de vestuario	**Jesús Ruiz**, **Lidia Lavallet**
Maquillaje	**Magdalena Alvarez** y **Marta Rosa Vinent**
Dirección de producción	**Santiago Llapur** y **Camilo Vives**
Producción	**ICAIC**

Datos técnicos

	35 mm/Color/120'
Inicio del rodaje	**Octubre de 1975**
Estreno	**3 de noviembre de 1977**
Cines	**Yara**, **Acapulco**, **Metropolitan**, **Mónaco**, **Florida**, **City Hall** (La Habana)

Intérpretes

Nelson Villagra
Silvano Rey
Luis Alberto García
José A. Rodríguez
Samuel Claxton
Mario Balmaseda
Idelfonso Tamayo
Julio Hernández
Tito Junco
Andrés Cortina
Manuel Puig

Francisco Borroto
Alfredo O'Farril
Mario Acea
Peki Pérez
Mirta Ibarra
José Díaz
Elio Mesa
Luis Salvador Romero
Leandro M. Espinosa

Un jueves santo, durante los años finales del siglo XVIII en un ingenio azucarero de su propiedad, un rico conde habanero reúne a doce esclavos y les lava y besa los pies. Después los invita a cenar. Durante la cena conversa con ellos e intenta justificar con los principios de humildad y resignación de la religión católica, la explotación que ejerce sobre ellos.

Premios	Premio Colón de Oro del Jurado. III Semana de Cine Iberoamericano de Huelva. España, 1976.
	Primer Premio Hugo de Oro. XIII Festival Internacional de Cine. Chicago, Estados Unidos, 1977.
	Filme notable del año. Festival de Cine de Londres. Inglaterra, 1977.
	Mejor filme extranjero exhibido en Venezuela en l977. Críticos Cinematográficos de Venezuela. Caracas, 1978.
	Gran premio. VII Festival Internacional de Cine. Figueira da Foz, Portugal, 1978.
	Gran vencedor del Jurado Popular. II Muestra Internacional de Cine de Sao Paulo. Brasil, 1978.
	Primer Gran Premio. Festival Cinematográfico Ibérico y Latinoamericano. Biarritz, Francia, 1979.
	Seleccionado entre los diez filmes más significativos del año. Selección Anual de la Crítica. La Habana, l977.

La sexta parte del mundo
1977

Equipo técnico-artístico

Dirección	**Tomás Gutiérrez Alea**, en fase de filmación en Azerbaidzhan.
Realizador	**Julio García Espinosa**

Datos técnicos   **35 mm/Color**

Documental sobre la Unión Soviética

Los sobrevivientes
1978

Equipo técnico-artístico

Dirección	**Tomás Gutiérrez Alea**
Asistentes	**Orlando Rojas, Rubén Lavernia**
Argumento	**Tomás Gutiérrez Alea**
Guión	**Tomás Gutiérrez Alea, Antonio Benítez Rojo**
Director de fotografía	**Mario García Joya**
Operadores de cámara	**Mario García Joya, Armando Achong**
Música	**Leo Brouwer**
Sonido	**Germinal Hernández**
Edición	**Nelson Rodríguez**
Escenografía	**José M. Villa**
Diseño de vestuario	**Jesús Ruiz**
Maquillaje	**Julia Jiménez, Lissette Revilla**
Director de producción	**Evelio Delgado**
Producción	**ICAIC**

Datos técnicos	**35 mm/Color/130'**
Inicio del rodaje	**Febrero de 1978**
Estreno	**6 de enero de 1979**
Cines	**Yara, Acapulco, América, Metropólitan, Florida, Mónaco** (La Habana)

Intérpretes	Enrique Santisteban
	Reinaldo Miravalles
	Germán Pinelli
	Ana Viña
	Vicente Revuelta
	Carlos Ruiz de la Tejera
	Leonor Borrero
	Juanita Caldevilla
	Carlos Monctezuma
	Armando Soler
	Patricio Wood
	Jorge Félix Alí
	Ana Lilian Rentería
	José M. Rodríguez
	Elio Mesa

En los años inmediatamente posteriores al triunfo de la Revolución de 1959, una familia burguesa se encierra en su residencia para no sufrir la contaminación ideológica.

Premios

Tercer Premio (otorgado por el público). V Semana de Cine Iberoamericano. Huelva, España, 1979.

Filme notable del año. Festival Internacional de Cine. Londres. 1979.

Premio de Oro. II Festival de Cine de Damasco. Siria, 1981. Tarja de oro.

XXI Festival «Laceno d'Oro delle Nazioni» del Cine Neorrealista de Vanguardia. Avellino, Italia, 1981.

Premio Ghandi, otorgado por el Jurado Internacional CIDALC-INTCAALA XXI Festival «Laceno d'Oro delle Nazioni» del Cine Neorrealista de Vanguardia. Avellino, Italia, 1981.

Seleccionado entre los filmes más significativos del año. Selección Anual de la Crítica. La Habana, 1979.

Premios «Caracol» a la producción, a la escenografía, al argumento y al guión. I Concurso de la Sección de Cine, Radio y Televisión de la Unión de Escritores y Artistas de Cuba (Uneac). La Habana, 1979.

Hasta cierto punto
1983

Dirección	**Tomás Gutiérrez Alea**
Director asistente	**Guillermo Torres**
Argumento	**Tomás Gutiérrez Alea**
Guión	**Juan Carlos Tabío**, **Serafín Quiñones** y **Tomás Gutiérrez Alea**
Director de fotografía	**Mario García Joya**
Operadores de cámara	**Raúl Pérez Ureta**, **Mario García Joya** y **Luis García Mesa**
Música	**Leo Brouwer**
Edición	**Miriam Talavera**
Escenografía	**José M. Villa**
Maquillaje	**Grisell Cordero** y **Lissette Revilla**
Director de producción	**Humberto Hernández**
Producción	**ICAIC**

Datos técnicos	**35 mm/Color/68'**
Inicio del rodaje	**Septiembre de 1982**
Estreno	**8 de marzo de 1984**
Cines	**Yara**, **Payret**, **Acapulco**, **Ambassador**, **Los Angeles**, **Florida**, **City Hall**, **Carral** (La Habana)

Intérpretes	**Oscar Alvarez**
	Mirta Ibarra
	Omar Valdés
	Coralia Veloz
	Rogelio Blaín
	Ana Viña
	Claudio A. Tamayo
	Luis Celeiro
	Lázaro Núñez
	Elsa Medina
	Pedro Hernández
	Fernando Diviñó
	Claudio Coto
	Arnaldo Moré
	Ramón Preval

	Marisela Jústiz
Testimoniantes	Luis García
	Héctor Suárez
	Guillermo Fernández
	Orlando García
	Orestes Concepción
	Arnaldo Moré
	Sonia Henríquez
	Haida Ibañez
	Justo Mir
	Orestes Manzano
	Antonio Peña
	Julio Veitía
	José A. Sarría
	Medardo Rivero
	Juan Olivera

Largometraje de ficción que narra una historia de amor entre un escritor que intenta hacer el guión de una película sobre el machismo y una obrera del puerto de La Habana.

Premios	Gran Premio Coral y Premio a la mejor actuación femenina (Mirta Ibarra). V Festival Internacional del Nuevo Cine Latinoamericano. La Habana, Cuba 1983.
	Makhila de Plata (Premio Especial del Jurado). Festival de Cine Ibérico y Latinoamericano. Biarritz, Francia, 1984.
	Filme notable del año. Festival de Cine de Londres. Inglaterra,1984.
	Tercer premio. IV Festival Internacional de Cine de Damasco. Siria, 1985.
	Mejor filme de ficción (compartido). I Festival Nacional Uneac de Cine, Radio y Televisión. La Habana, 1984.

Cartas del parque
1988

Dirección	**Tomás Gutiérrez Alea**
Directora asistente	**Ana Rodríguez**
Argumento	**Gabriel García Márquez**
Guión	**Eliseo Alberto, Tomás Gutiérrez Alea** y **Gabriel García Márquez**
Textos adicionales	**Eliseo Diego**
Director de fotografía	**Mario García Joya**
Operador de cámara	**Mario García Joya**
Música	**Gonzalo Rubalcaba**
Sonido	**Germinal Hernández**
Edición	**Miriam Talavera**
Escenografía	**Fernando Pérez O'Reilly**
Diseño de vestuario	**Miriam Dueñas**
Maquillaje	**Graciela Crossas, Lissette Dávila** y **Aymara Cisneros**
Director de producción	**Santiago Llapur**
Productor ejecutivo ING S.A.	**Max Marambio**
Productor ejecutivo TVE	**Luis Reneses**
Producción	**Televisión Española S.A., ING S.A.**, con el auspicio de la **Fundación del Nuevo Cine Latinoamericano**

Datos técnicos	**35 mm/Color/85'**
Inicio del rodaje	**Diciembre de 1988**
Estreno	**15 de junio de 1989**
Cines	**Yara, Ambassador, Los Angeles, Actualidades** (La Habana)

Intérpretes	**Víctor Laplace**
	Ivonne López
	Miguel Paneque
	Mirta Ibarra
	Adolfo Llauradó
	Elio Mesa
	Paula Alí
	Amelia Pita
	Dagoberto Gaínza

José Pelayo
Raúl Eguren
Jorge Alí
Daniel Jordán
Justo Fonseca
Pedro Fernández
Peggy Gómez
Miriam Dávila
Ileana Leyva
Elvira Valdés
José Hernández
Esteban Saldiguera

Historia de amor que tiene por escenario a la ciudad cubana de Matanzas en los primeros años del siglo XX.

Contigo en la distancia
1991

Dirección	**Tomás Gutiérrez Alea**
Asistente	**Moisés Ortiz Urquidi**
Argumento	**Eliseo Alberto**
Guión	**Eliseo Alberto** y **Gabriel García Márquez**
Director de fotografía	**Mario García Joya**
Operador de cámara	**Mario García Joya**
Música	**Chucho Valdés**
Sonido	**Carlos Aguilar**
Edición	**Sigfrido Barjau**
Escenografía	**Marissa Pecanins**
Vestuario	**Mónica Neumaier**
Maquillaje	**Esther Alvarez**
Director de producción	**Dulce Kuri**
Producción	**Amaranta**. México D.F., con el auspicio de la **Fundación del Nuevo Cine Latinoamericano (FNCL)**

Datos técnicos   **35 mm-video/Color/27'**

Una mujer recibe, muchos años después de haber sido remitida, una carta en la que el hombre de quien se había enamorado cuando era joven la citaba para escapar juntos. Lo busca por todas partes y, al no encontrarlo, visita el restaurante donde él iba a esperarla...

Fresa y chocolate
1993

Dirección	**Tomás Gutiérrez Alea** y **Juan Carlos Tabío**
Directora asistente	**Mayra Segura**
Argumento	Basado en el cuento *El lobo, el bosque y el hombre nuevo*, de **Senel Paz**
Guión	**Senel Paz**
Director de fotografía	**Mario García Joya**
Operadores de cámara	**Mario García Joya** y **Ernesto Granados**
Música	**José María Vitier**
Sonido	**Germinal Hernández**
Edición	**Miriam Talavera, Osvaldo Donatién**
Escenografía	**Fernando Pérez O'Reilly**
Diseño de vestuario	**Miriam Dueñas**
Maquillaje	**Graciela Crossas**
Director de producción	**Miguel Mendoza**
Producción	**ICAIC, Telemadrid, SGAE** (Sociedad General de Autores Españoles), **IMCINE** (Instituto Mexicano de Cinematografía) y **Tabasco Film**, de México.

Datos técnicos	**35 mm/Color/108'**
Inicio del rodaje	**Marzo de 1993**
Estreno	**13 de diciembre de 1993**
Cines	**Yara, Chaplin** (La Habana)

Intérpretes	**Jorge Perugorría**
	Vladimir Cruz
	Mirta Ibarra
	Joel Angelino
	Francisco Gattorno
	Marilyn Solaya

Un militante de la Unión de Jóvenes Comunistas y un homosexual se conocen en una céntrica heladería de La Habana, y entablan una relación amistosa que derrumba los prejucios y el dogmatismo político del primero, al tiempo que le hace reconocerse como cubano.

Premios

Premio especial del Jurado, Oso de plata; Segundo premio de la popularidad, otorgado por los lectores del Berliner Horgenpost; Mención especial del Jurado Ecuménico (INTERFILAS y OCIC). El Jurado FIPRESCI reconoce a Tomás Gutiérrez Alea y Juan Carlos Tabío por su ilustre carrera, que ofrece una lúcida perspectiva sobre la realidad cubana. XXIV Festival Internacional de Cine de Berlín. Alemania, 1993.

Primer Premio Coral, Premio Coral a la Mejor Dirección, Premio Coral al Mejor Actor (Jorge Perugorría), Premio Coral a la Mejor Actriz Secundaria (Mirta Ibarra), Premio de la FIPRESCI, Premio OCIC, Premio de El Caimán Barbudo, Mención de Radio Habana Cuba, Premio de la Unión de Círculos de Arci Nova (UCCA), Premio de la popularidad. XV Festival Internacional del Nuevo Cine Latinoamericano. La Habana, Cuba, 1993.

Premio Kikito al Mejor Filme, a la Mejor Actuación Masculina (ex-aequo: Jorge Perugorría y Vladimir Cruz) Premio a la Mejor Actuación Secundaria Femenina (Mirta Ibarra). XXVII Festival de Cine de Gramado. Brasil, 1994.

Premio del Público y Premio de la Crítica. Festival de Cine Latinoamericano de Paso Norte, Ciudad Juárez. México, 1994. Premio Ondas. Madrid, España, 1994.

Premios Panambi a la Mejor Película Latinoamericana, Premio al Mejor Guión, Premio al Trabajo Actoral (Jorge Perugorría y Vladimir Cruz) y a la banda sonora; Voto del público a la mejor película. V Edición del Festival Cinematográfico Internacional de Asunción. Paraguay, 1994.

Premio Goya a la mejor película extranjera de habla hispana, otorgado por la Academia de las Artes y las Ciencias Cinematográficas de España, 1995.

Nominada al Premio Oscar en la categoría de

Mejor película extranjera. Academia de las Artes y las Ciencias Cinematográficas de Hollywood, Estados Unidos, 1995.

Premios a la mejor película, a la actuación de primera figura (Jorge Perugorría), a la actuación secundaria (Vladimir Cruz), y a la dirección (Tomás Gutiérrez Alea y Juan Carlos Tabío). Asociación de Críticos Cinematográficos de New York, Estados Unidos, 1995.

Seleccionado entre los filmes más significativos del año. Selección Anual de la Crítica. La Habana, 1994.

Premio de actuación a Mirta Ibarra, Jorge Perugorría, Vladimir Cruz. Sección de Artes Escénicas de la Unión de Escritores y Artistas de Cuba (Uneac). La Habana, 1994.

Premios Caracol al Mejor Filme y al Mejor Guión. XI Festival Nacional Uneac de Cine, Radio y Televisión. La Habana, 1994.

Guantanamera
1995

Dirección	**Tomás Gutiérrez Alea** y **Juan Carlos Tabío**
Directora asistente	**Lourdes Prieto**
Argumento y guión	**Eliseo Alberto**, **Tomás Gutiérrez Alea** y **Juan Carlos Tabío**
Director de fotografía	**Hans Burmann** (A.E.C.)
Operadores de cámara	**Hans Burmann** y **Ernesto Granados**
Dirección musical	**José Nieto**
Sonido	**Raúl García**
Montadora	**Carmen Frías**
Escenografía	**Onelio Larralde**
Diseño de vestuario	**Nancy González**
Maquillaje	**Ana María Fernández**
Dirección de producción	**Frank Cabrera**
Produción	**Gerardo Herrero**
Productores asociados	**Enrique González Macho**, **Walter Achugar** y **Aurelio Núñez**
Productores ejecutivos	**Camilo Vives** y **Ulrich Felsberg**
Producción	**Tornasol Films S.A.**, **Alta Films S.A.**,

Road Movies, Dritte Produktionen, Instituto Cubano del Arte e Industria Cinematográficos (ICAIC), con la participación de **Televisión Española S.A.** y **Canal Plus**, de España.

Datos técnicos	**35 mm/color/90'**
Inicio del rodaje	**Febrero de 1995**
Estreno	**1 de septiembre de 1995** (España)
	16 de noviembre de 1995 (Cuba)
Cines	(Madrid, España): **Palacio de la Música, Tívoli, Acteón, Luna, Canciller, Real Cinema, La Vaguada, Minicine, Princesa, Renoir** y **Multicines** en Alcalá de Henares, Alcobendas, Alcorcón, Las Rozas, Leganés y Pozuelo
	(La Habana, Cuba): **Yara, Payret, Los Angeles** y **Lido**

Intérpretes

Adolfo	**Carlos Cruz**
Georgina	**Mirta Ibarra**
Mariano	**Jorge Perugorría**
Cándido	**Raúl Eguren**
Ramón	**Pedro Fernández**
Tony	**Luis Alberto García**
Yoyita	**Conchita Brando**
Ikú	**Suset Pérez Malberti**

De visita en Guantánamo, para recibir una condecoración, Yoyita se encuentra con el que había sido su primer novio 50 años atrás y muere de felicidad en brazos de él. Para llevar su féretro a La Habana se pondrá en práctica por primera vez el sistema de relevos de carros fúnebres en los límites de cada provincia, ideado por el burócrata Adolfo para ahorrar combustible.

Retrospectivas

1979   México. Cineclub del Instituto Nacional de Bellas
artes (INBA) en México DF (del 5 al 26 de septiembre).

E.E.U.U. Homenaje y muestra de algunos filmes en
el 23er. Festival Internacional de Cine de San
Francisco (13 de octubre).

E.E.U.U. En el marco de la National Conference on
Cuba, organizada por el Center for Cuban Studies,
Nueva York (noviembre).

1984   India. En Nueva Delhi y en Trivandrum, organizadas
por The Directorate of Film Festivals (octubre).

E.E.U.U. Con motivo del estreno de **Hasta cierto
punto** en el cine Film Forum 2, en Nueva York.

1985   Suecia. En Goteburg y Estocolmo, organizadas por
Folkets Bio (mayo).

Argentina. Organizada por el Cineclub Núcleo de
Buenos Aires y auspiciada por el Instituto Nancional
de Cinematografía, la Federación Argentina de
Cineclubes y el Comité de Cineastas de América
Latina (4 al 10 de Julio).

Colombia. Presentada por el Museo de Arte
Moderno de Bogotá. (Noviembre).

1986   URSS. En Moscú y en Leningrado, organizadas por
el Comité Estatal de la URSS para la Cinematografía
(GOSKINO). (Septiembre).

1987   España. Presentada por Televisión Española.
(Septiembre).

1988	Cuba. Escuela Internacional de Cine y TV de San Antonio. (31 octubre - 13 noviembre).
1989	Gran Bretaña. National Film Theatre —British Film Institute— (octubre-noviembre).
1991	E.E.U.U. State University of New York (Albany): cuatro filmes (mayo) Cuba. Cinemateca de Cuba (septiembre).
1994	España. Casa de América en Madrid y Filmoteca Española (marzo) En Las Palmas y en Tenerife, Filmoteca Canaria (marzo). Francia. Durante el Festival de cine de Toulouse (marzo).

Bibliografía

La bibliografía aparece dividida en tres partes. En la primera (I), realizada por el propio autor, se indican los textos de los cuales fueron extraídos fragmentos para este volumen y la lista de libros publicados por, o sobre Tomás Gutiérrez Alea, que contengan al menos una sección dedicada a la obra del cineasta. La mayoría de ellos también han sido utilizados como fuentes de la selección aquí reunida. La segunda y la tercera parte (II y III) fueron elaboradas por la investigadora María Eulalia Douglas, especialista de cine cubano de la Cinemateca de Cuba, cuya colaboración enriquece muy notablemente el valor de referencia que podrá tener este libro. Gracias a ella, dispondrá el lector de la más completa bibliografía que hasta ahora se haya editado sobre el cineasta cubano.

I

ABRAHAM, Amrita, «To be critical is to make a militant film for the Revolution», *The Sunday Observer,* Nueva Delhi, 21 de octubre, 1984.

ABRAHAM, Jugu, «Formidable Film-Maker», *This Fornight,* Nueva Delhi, 1-15 de marzo, 1980.

ANSARA, Martha, «Tomás Gutiérrez Alea. Film Director», *Cinema Papers,* Melbourne, mayo-junio de 1981.

BERNAL, Augusto y TAPIA, Carlos, «Del neorrealismo al subdesarrollo», *Arcadia va al cine,* Bogotá, octubre-noviembre de 1986.

BRANLY, Roberto, «*Una pelea cubana contra los demonios*. Nueva película cubana», *Granma*, La Habana, 24 de marzo, 1972.

BURTON, Julianne, «Individual Fulfilment and Collective Achievement», *Cineaste*, Nueva York, Vol. VIII, núm. 1, verano de 1977.

CHÁVEZ, Rebeca, «Tomás Gutiérrez Alea: entrevista filmada», *La Gaceta de Cuba*, La Habana, septiembre-octubre de 1993.

CHIJONA, Gerardo, «*La última cena*, el cine y la historia», *Cine Cubano*, La Habana, núm. 93, 1978.

CROWDUS, Gary, «Up to a Point: An Interview with Tomás Gutiérrez Alea and Mirta Ibarra», *Cineaste*, Nueva York, vol. XIV, número 2, 1985.

DESNOES, Edmundo, «Habla un director», *Revolución*, La Habana, 8 de enero, 1963.

DÍAZ TORRES, Daniel, «Encuesta sobre el cine cubano», *La Gaceta de Cuba*, La Habana, agosto-septiembre de 1966.

—, «Sobre vivencias y supervivencias: cinco respuestas», *Cine Cubano*, La Habana, núms. 89-90, 1979.

ESCOBAR CASAS, Reynaldo, «Cara a cara con Tomás Gutiérrez Alea», *Cuba Internacional*, La Habana, mayo de 1987.

ÉVORA, José Antonio, «El rábano por la raíz», *Juventud Rebelde*, La Habana, 10 de septiembre, 1988.

GAMONEDA LEÓN, Vivian, «Las cartas de Gutiérrez Alea», *Revolución y Cultura*, La Habana, diciembre de 1988.

GONZÁLEZ URIBE, Guillermo, «Nuestro cine está regido por cineastas, no por burócratas», *El espectador*, Bogotá, 22 de diciembre, 1985.

GUTIÉRREZ ALEA, Tomás, «El cine y la cultura», *Cine Cubano*, La Habana, núm. 2, 1960.

—, «*El Free Cinema* y la objetividad», *Cine Cubano*, La Habana, núm. 4, 1961.

—, «Doce notas para *Las doce sillas*», *Cine Cubano*, La Habana, año 2, núm. 6, 1962.

—, «Notas sobre una discusión de un documento sobre una discusión (de otros documentos)», *La Gaceta de Cuba*, La Habana, núm. 29, 5 de noviembre, 1963.

—, «Mi posición ante el cine», *Cine Cubano*, La Habana, números 23-25, 1964.

—, «*Memorias del subdesarrollo:* notas de trabajo», *Cine Cubano*, La Habana, núms. 45-46, 1968.

—, «Vanguardia política y vanguardia artística», *Cine Cubano*, La Habana, núms. 54-55, 1969.

—, «Hablan los cineastas», Encuesta de la revista *América Latina,* Moscú, núm. 4, 1977, pags. 176-177.

MELLID, Paula, «Habla un fundador del cine cubano», Resumen semanal de *Granma,* La Habana, 19 de marzo, 1989.

PAELLINCK, Roselind, «Tomás Gutiérrez Alea», *Resumen,* Caracas, 29 de enero, 1984.

PAZ, Senel, *«Hasta cierto punto:* continuidad y ruptura», *Areíto,* Nueva York, vol. X, núm. 37, 1984.

PICK, Zuzana, «Towards a Renewal of Cuban Revolutionary Cinema: A Discussion of Cuban Cinema Today», *Cine-Tracts,* Montreal, núms. 3-4, verano de 1979.

POLLO, Roxana, «Por el camino de la autenticidad y la franqueza», *Granma,* La Habana, 17 de octubre, 1987, pág. 5.

RIVERO, Ángel, «Titón: un cine de ideas», *Revolución y Cultura,* La Habana, marzo de 1985.

RUPRECHT, Alvina, «Entrevista con Tomás Gutiérrez Alea», *Ottawa Revue,* 25-31 de enero, 1979.

SANTOS, Romualdo, «"Los sobrevivientes"», *Bohemia,* La Habana, 12 de enero, 1979.

Libros

ALMENDROS, Néstor, *Cinemanía. Ensayos sobre cine,* Barcelona, Seix Barral, 1992, págs. 146-147.

BURTON, Julianne, *Cinema and Social Change in Latin America. Conversations With Filmakers,* Texas, Universidad de Texas, 1986.

—, *Cine y cambio social en América Latina,* México, Editorial Diana, 1991.

DESNOES, Edmundo, *Memorias del subdesarrollo,* La Habana, Unión, 1965.

CHANAN, Michael, *The Last Supper,* The Cuban Image, Londres, British Film Institute Publishing, 1985, págs. 271-273.

—, *Memories of Underdevelopment,* The Cuban Image, Londres, British Film Institute Publishing, 1985, págs. 236-247.

—, *The Death of a Bureaucrat,* The Cuban Image, Londres, British Film Institute Publishing, 1985, págs. 203-205.

DOUGLAS, María E, *Diccionario de cineastas cubanos,* La Habana-Mérida, Cinemateca de Cuba-Universidad de los Andes-Centro de Cinematografía, 1989.

Évora, José Antonio, *Tomás Gutiérrez Alea,* Huesca, 22 Festival de Cine de Huesca. Instituto de Cooperación Iberoamericana/Departamento de Educación y Cultura del Gobierno de Aragón, 1994 (Cine Huesca 6).

Fornet, Ambrosio, *Alea, una retrospectiva crítica,* La Habana, Letras Cubanas, 1987.

Gutiérrez Alea, Tomás, *Dialéctica del espectador,* La Habana, Unión, 1ª ed., 1982. (Cuadernos de la Revista *Unión.)*

—, *Dialética do Espectador,* Sao Paulo, Summus, 1984.

—, *The Viewer's Dialectic,* La Habana, José Martí Publishing House, 1988.

—, *Hojas de cine: testimonios y documentos del Nuevo Cine Latinoamericano,* Volumen III: Centroamérica y el Caribe, México, Secretaría de Educación Pública/ Universidad Autónoma Metropolitana/ Fundación Mexicana de Cineastas, 1988. (Cultura Universitaria/ Serie Ensayo.)

León Frías, Isaac [comp.], *Los años de la conmoción 1967-1973: entrevistas con realizadores sudamericanos,* México, Dirección General de Difusión Cultural/ UNAM, 1979. (Cuadernos de Cine 28.)

Myerson, Michael, *Memories of Underdevelopment. The Revolutionary Films of Cuba,* Nueva York, Grossman Publishers, 1973.

Oroz, Silvia, *Los filmes que no filmé,* La Habana, Unión, 1989.

Paranaguá, Paulo Antonio [Dir.], *Gutiérrez Alea, os filmes que nao filmei,* Río de Janeiro, Anima Produçoes Artísticas e Culturais Ltda., 1985.

—, *Le Cinéma Cubain,* París, Centre Georges Pompidou, 1990 (Cinéma/Pluriel).

Tomás Gutiérrez Alea: poesía y revolución, Las Palmas de Gran Canaria, Filmoteca Canaria, 1994. (Voz Propia.)

II

Agencia France Press, «Gutiérrez Alea ironiza sobre la burocracia cubana en su filme *Guantanamera»,* *Diario Las Américas,* Miami, 31 de agosto, 1995, pág. 8-A.

Alameda, Sol, «Retrato de Cuba *(Guantanamera)»,* *El País,* Madrid, núm. 213, 19 de marzo, 1995, págs. 42-51, il. (reportaje).

—, «Tomás Gutiérrez Alea», *El País,* Madrid, núm. 213, 19 de marzo, 1995, págs. 52-56, il. (entrevista).

ALLEN, Don, «"Memories of Underdevelopment"», *Sight and Sound,* Londres, otoño de 1969, págs. 212-213 (crítica).

ALONSO, A. G., «Tras las huellas que conducen a la trascendencia», *Cine Cubano,* La Habana, 123, 1988, págs. 2-10, il.

ANDERSEN, S., «Innenfor revolusjonen er alt mulig», *Film & Kino,* Suecia, XLVIII-3, 1980, págs. 66-67, il. (entrevista).

ARIEL, M., «L'intellectuel et la revolution», *Cinema,* Francia, 192, noviembre de 1974, págs. 66-71, il. (entrevista).

AYALA BLANCO, Jorge, «"Memorias del subdesarrollo"», *Siempre,* México, 26 de noviembre, 1969 (crítica).

BASSAN, R., «"Memoires de sous-developpement"», *Téleciné,* Francia, 194, diciembre de 1974, págs. 24-25, il. (crítica).

BILBATÚA, Miguel, «La complejidad del compromiso. Notas sobre el cine de T.G.A.», *Viridiana,* Madrid, núm. 7, mayo de 1994, págs. 125-130 (artículo).

BOYERO, Carlos, «Tierna y mordaz *Guantanamera*», *Uve,* suplemento de *El Mundo,* Madrid, 3 de septiembre, 1995, pág. 5, il.

BROUWER, Leo, «La música para el cine: dos experiencias», *Cine Cubano,* La Habana, núms. 45-46, 1967, págs. 23-24, il. (artículo).

BULLITA, Juan M., «"Memorias del subdesarrollo"», *Hablemos de Cine,* Lima, núm. 54, julio-agosto de 1970, págs. 20-21, il. (crítica).

CANBY, Vincent, «"Memories of Underdevelopment"», *The New York Times,* Estados Unidos, 2 de abril, 1972 (crítica).

—, «Memories, Cuban Film On Alienation», *The New York Times,* Estados Unidos, 18 de mayo, 1973 (crítica).

CASIRAGHI, Ugo, «Il regista no uno. Cinema Cubano», *Quaderni della FICC,* Roma, 1967.

—, «Cine Cubano encuesta. Respuestas de Julio García Espinosa, Miguel Torres, Tomás Gutiérrez Alea», *Cine Cubano,* La Habana, núms. 54-55, 1969, págs. 22-27, il. (encuesta).

COLINA, José de la, «"Cumbite"», *Cine Cubano,* La Habana, núms. 14-15, 1963, págs. 41-49, il. (reportaje).

COLPART, G., «La crítica italiana juzga los festivales internacionales y las películas cubanas *(La muerte de un burócrata)*», *Cine Cubano,* La Habana, núm. 38, 1966, págs. 18-23 (reportaje).

—, «"Cumbite"», *Cine al Día,* Caracas, núm. 12, 1971, págs. 25-26, il. (crítica).

—, «"Memoires de sous-developpement"», *Image et Son,* París, núm. 290, noviembre, 1974, págs. 115-116 (crítica).

—, «Corteo funebre e d'amore per *Guantanamera*», *Liberazione,* Italia, 1 de septiembre, 1995, pág. 19, il. (entrevista a T.G.A. y Juan Carlos Tabío).

CUZA MALÉ, Belkis, «Ni fresita ni chocolate», *El Nuevo Herald,* Miami, 4 de abril, 1995.

CHIJONA, Gerardo, «Gutiérrez Alea: An Interview», *Framework,* Inglaterra, núm. 10, primavera de 1979, págs. 28-30 (entrevista).

—, *«La última cena.* Entrevista a T.G.A.», *Cine Cubano,* La Habana, núm. 108, 1984, págs. 88-90, il. (crítica).

DAHL, G., «T. G. Alea & Fernando Solanas. Situation et perspectives du cinéma d'Amérique Latine», *Positif,* París, 139, junio 1972, págs. 1-18, il. (debate).

—, «Rundtischgesprach: Situation und Perspektiven des Films in Lateinamerika», *Information,* Alemania, PY 5-6, 1972, págs. 20-40 (debate).

DESNOES, Edmundo, «Se llamaba Sergio», *Cine Cubano,* La Habana, núms. 45-46, 1967, págs. 26-28, il. (artículo).

DÍAZ TORRES, Daniel, «En busca del desarrollo fílmico», *La Gaceta de Cuba,* La Habana, sept-oct. de 1968 (artículo).

—, «Cine cubano en EE.UU.», *Cine Cubano,* La Habana, números 89-90, 1974, págs. 65-71, il. (artículo y crítica).

—, «De *La última cena* a *Los sobrevivientes*», *Cine Cubano,* La Habana, núm. 97, 1980, págs. 108-112, il. (entrevista).

DÍAZ, Elena, «"Las doce sillas"», *Cine Cubano,* La Habana, número 6, 1962, págs. 23-25, il. (reportaje gráfico).

—, «"Memorias del subdesarrollo"», *Cine Cubano,* La Habana, núms. 52-53, 1969, págs. 79-84, il. (crítica).

—, «"Las doce sillas"», *Cine al Día,* Caracas, núm. 12, marzo 1971, págs. 24-25, il. (crítica).

EDNA, «"Hasta cierto punto"», *Variety,* Estados Unidos, CCCXIV-10, 4 de abril, 1984, pág. 26 (crítica).

EHRMAN, H., «"Los sobrevivientes" ("The Survivors")», *Variety,* Estados Unidos, CCXCV-4, 30 de mayo, 1979, pág. 24 (crítica).

—, «El cine cubano enfrenta el desafío industrial: Entrevistas con Jorge Fraga y T.G.A.», *Cine al Día,* Caracas, núm. 19, 1975, págs. 4-8, il. (artículo).

ENGEL, Andy, «Solidarity & Violence. Three Cuban Directors. Tomás Gutiérrez Alea, Humberto Solás, Santiago Álvarez»,

Sight and Sound, Londres, otoño de 1969, págs. 196-200, il. (artículo).

—, «Entrevistas con directores de largometraje, directores de fotografía, escritores, músicos», *Cine Cubano,* La Habana, núms. 23-24-25, 1964, págs. 65-128, il. (entrevista).

ÉVORA, José Antonio, «Filme gegen die Trägheit der Revolution. Haltung und Kontext im kubanischen Spielfilm von 1975 bis 1991», *Film und Fernsehen,* Alemania, 20, enero de 1992, págs. 113-121, il. (ensayo, con referencias a *La última cena, Los sobrevivientes* y *Hasta cierto punto).*

—, «El mundo en la cabeza», *Noticias de Arte,* Nueva York, junio de 1992, págs. 12-13, il. (artículo).

—, «Poesía y dramaturgia en el cine de T.G.A.», *Cine Cubano,* La Habana, núm. 137, 1993, págs. 30-33, il. (artículo).

—, «Evidencias del cine cubano», *Proposiciones,* La Habana, año I, edición núm. 2, 1994, págs. 41-49, il. (ensayo, con referencias a *La última cena, Los sobrevivientes* y *Hasta cierto punto).*

—, «Más fresas y chocolates», *El Nuevo Herald,* Miami, 14 de mayo, 1994, pág. 14 A (comentario-respuesta; ref. Montaner, Gina).

—, «El premio del enemigo», *El Nuevo Herald,* Miami, 24 de marzo, 1995 (comentario).

FERNÁNDEZ, Ángel, «La vida cotidiana», *Metrópoli,* suplemento de *El Mundo,* Madrid, 7 de septiembre, 1995, págs. 4-5, il. (comentario).

FERNÁNDEZ RUBIO, Andrés, «Gutiérrez Alea se burla de la burocracia cubana», *El País,* Madrid, 2 de septiembre, 1995, página 20, il.

FERNÁNDEZ SANTOS, Ángel, «Divertidísimo viaje a lo largo de Cuba», *El País,* Madrid, 3 de septiembre, 1995, pág. 32, il.

—, *«Guantanamera* y *Apolo XIII* se reparten el día de máxima audiencia de la Mostra», 52 Festival de Venecia, *El País,* Madrid, 3 de septiembre, 1995, pág. 30, il.

FIRK, Michele, «Cinéma et bureaucratie á Cuba. Entretien avec Tomás Gutiérrez Alea», *Positif,* Francia, núm. 85, junio 1967, págs. 23-26, il. (entrevista).

GARCÍA ESPINOSA, Julio, «Nuestro cine documental: *Esta tierra nuestra* y *La vivienda», Cine Cubano,* La Habana, números 23-24-25, 1964, págs. 4-5, il. (crítica).

GILLIAT, Penelope, «Thought's Empire ("Memories of Underdevelopment")», *The New Yorker,* Estados Unidos, 26 de mayo, 1973 (crítica).

—, «The Last Supper in Havana», *The New Yorker,* Estados Unidos, 15 de mayo, 1978, il. (crítica).

GONZÁLEZ, Reynaldo, «La cultura cubana con sabor a *Fresa y chocolate (Strawberry and Chocolate* Flavoured Cuban Culture)», *Atlántica Internacional,* Las Palmas de Gran Canaria, núm. 8, otoño de 1994, págs. 100-109 (en español) y 180-188 (en inglés), il. (ensayo).

GUEVARA, Alfredo, «Palabras de nuestro director. (Première de Historias de la Revolución)», *Cine Cubano,* La Habana, núm. 4, 1961, págs. 58-59, il. (presentación).

GUTIÉRREZ ALEA, Tomás, «Cómo se mira una película», *La Gaceta de Cuba,* La Habana, 1 de diciembre, 1962, il. (artículo).

—, «Donde se habla de lo moderno en el arte y se dicen cosas que no fueron dichas en el momento oportuno», *Cine Cubano,* La Habana, núm. 9, 1963, págs. 48-49 (artículo).

—, «¿Qué es lo moderno en el arte? (Referencia: el cine)», *Cine Cubano,* La Habana, núm. 9, 1963, págs. 33 y 37, il. (mesa redonda).

—, «Donde menos se piensa salta el cazador... de brujas», *La Gaceta de Cuba,* La Habana, núm. 33, 20 de marzo, 1964.

—, «Notas sueltas sobre un viaje», *Cine Cubano,* La Habana, núm. 38, 1966, págs. 35-43, il. (artículo).

—, «Respuesta a Cine Cubano», *Cine Cubano,* La Habana, núms. 54-55, 1969, págs. 22-27 (entrevista).

—, «*Memorias del subdesarrollo.* Notas de trabajo», *Hablemos de Cine,* Lima, núm. 54, julio-agosto 1970, págs. 17-19, il. (artículo).

—, «No siempre fui cineasta», *Cine Cubano,* La Habana, número 114, 1985, págs. 43-52, il. (artículo).

—, «I Wasn't Always a Filmmaker», *Cineaste,* Estados Unidos, núm. 1, 1985.

—, «Another Cinema, Another World, Another Society», *Journal of Third World Studies,* Estados Unidos, vol. XI, núm. 1, 1994, págs. 90-113 (conferencia).

—, «De fresa y chocolate», *Viridiana,* Madrid, núm. 7, mayo de 1994, págs. 119-124 (artículo).

—, «Dramaturgia (cinematográfica) y realidad», *Cine Cubano,* La Habana, núm. 105, 1983, págs. 71-77, il. (artículo).

—, «Presentación de *Una pelea cubana contra los demonios*», *Cine Cubano,* La Habana, núms. 78-80, pág. 49.

HÁMORI, O., «Egy polgár vallomásai», *Filmkultura,* Hungría, VIII-1, enero-febrero de 1972, págs. 32-35 (crítica).

HEPNEROVÁ, E., «10-eh», *Film & Doba,* Checoslovaquia, XVIII-9, septiembre de 1972, pág. 500 (artículo).

HERNÁNDEZ, Esteban, *«Guantanamera:* Kafka visita Cuba», *Uve,* suplemento de *El Mundo,* Madrid, España, 29 de agosto, 1995, págs. 1-2, il.

JAEHNE, K., «The Last Supper», *Film Quarterly,* Estados Unidos, XXXIII-1, otoño de 1979, págs. 48-53, il. (crítica).

JIMÉNEZ LEAL, Orlando, «Las adorables mentiras de Titón», *El Nuevo Herald,* Miami, 3 de mayo, 1994, pág. 12 A.

KEZICH, Tullio, «Largometrajes *(La muerte de un burócrata)»,* *Cine Cubano,* La Habana, núms. 31-32-33, 1966, págs. 4-27, il. (reportaje).

—, «Cuba, un Paese povero ma ruspante nel graffiante humour di Gutiérrez Alea», *Corriere della Sera,* Italia, 9 de septiembre, 1995 (crítica de *Guantanamera).*

LESAGE, J., *«Memories of Underdevelopment,* Images of Underdevelopment», *Jump Cut,* Estados Unidos, 1, mayo-junio de 1974, págs. 9-11, il. (crítica).

LIEBERMAN, S., «Women: the *Memories of Underdevelopment»,* *Women & F,* II-7, verano de 1975, págs. 78-79 (crítica).

LUQUE ESCALONA, Roberto, «Balada de Coppelia», *El Nuevo Herald,* Miami, 24 de marzo, 1995, pág. 12-A (comentario sobre *Fresa y chocolate).*

MARQUÉS RAVELO, Bernardo, «Hasta (incierto) punto», *El Caimán Barbudo,* La Habana, núm. 195, marzo de 1984, il. (crítica).

MARTIN, Marcel, «"Memoires du sous-developpement"», *Écran* 31, Francia, diciembre de 1974, págs. 60-62, il. (crítica y entrevista).

MARTÍNEZ CARRIL, Manuel, «"Memorias del subdesarrollo"», *Cine Cubano,* La Habana, núms. 49-51, 1968, págs. 152-155 (reportaje gráfico).

—, «"Memorias del subdesarrollo"», *Cine al Día,* Caracas, número 12, marzo de 1971, págs. 24-25, il. (crítica).

—, «Gutiérrez Alea observa a Cuba desde adentro», *Cinemateca Revista,* núm. 49, enero de 1995, págs. 15-20, il. (artículo).

—, «Todo empezó en Coppelia», *Cinemateca Revista,* Montevideo, núm. 49, enero de 1995, págs. 55-56, il. (crítica).

MENDOZA, Antonio, «Muestra de cine cubano», *Encuadre,* Caracas, núm. 22, enero-febrero de 1990, pág. 64 (crítica).

MONTANER, Gina, «De fresas y chocolates», *El Nuevo Herald,* Miami, 7 de marzo, 1994 (comentario).

MONTERO, R., «*La muerte de un burócrata*. Entrevista con Tomás Gutiérrez Alea», *Cine Cubano*, La Habana, núm. 35, 1966, páginas 14-19, il. (entrevista).

—, «La última cena de una ética en crisis», *Cine Cubano*, La Habana, núm. 98, 1981, págs. 114-125, il. (crítica).

MURPHY, Brian, «"Memories of Underdevelopment"», *Films and Filming*, Londres, septiembre de 1969, pág. 64 (crítica).

MIRPHY, W., «Notas sobre la realización de *Santa Clara*», *Cine Cubano*, núm. 2, 1960, págs. 17-21, il. (artículo).

—, «Two Third World Films», *Take One*, III-3, abril de 1972, págs. 14-16, il. (artículo).

—, «Notas críticas. *Las doce sillas*», *Cine al Día*, Caracas, número 16, págs. 16-23, il. (crítica).

NUSSBAUN, A. F., «"Memories of Underdevelopment"», *M'tone News*, 39, febrero de 1975, pág. 43 (crítica).

PAZ, Senel, «*Una pelea cubana contra los demonios*. Entrevista a Tomás Gutiérrez Alea», *Cine al Día*, Caracas, núm. 15, junio 1972, pág. 10, il. (crítica).

—, «"Fresa y chocolate"», *Viridiana*, Madrid, núm. 7, mayo de 1994, págs. 7-116, il. (guión).

PIAZEWSKI, J., «Portret rodzinny we wnetrzu», *Kino*, Polonia, XV-6, junio de 1980, págs. 54-55, il. (crítica).

PLASENCIA, Azucena, «*Fresa y chocolate*. Erotismo y cambio», *Bohemia*, La Habana, 4 de febrero, 1994, págs. 58-59, il. (crítica).

POLE, Nicholas, «Our Man in Havana», *AIP & Co.*, marzo de 1983, núm. 40, págs. 14-18, il. (artículo).

POLLO, Roxana, «¡No cuentes el final! *(Guantanamera)*», *Granma*, La Habana, 10 de diciembre, 1994, pág. 4 (entrevista).

PROCHNOW, C., «Das letzte Abendmahl», *Film und Fernsehen*, Alemania, VII-5, mayo de 1979, págs. 15-16, il. (crítica).

PYM, J., «¿Qué nuevos filmes preparan? Humberto Solás, Manuel Octavio Gómez, Tomás Gutiérrez Alea, Manolo Herrera», *Cine Cubano*, La Habana, núms. 58-59, 1969, págs. 90-97, il. (reportaje).

—, «Revolutionary Ennui-Memories of Underdevelopment», *Time*, Estados Unidos, 23 de mayo, 1973, il. (crítica).

—, «"La última cena" ("The Last Supper")», *Monthly Film Bulletin*, Inglaterra, XLVI-543, abril de 1979, págs. 79-80 (crítica).

RICH, B. R., «Death of a Bureaucrat: Madcap Comedy Cuban Style», *Jump Cut*, Estados Unidos, 22, mayo de 1980, páginas 29-30, il. (crítica).

RICHARDSON, Tony, «El cine cubano. *(Historias de la Revolución)*», *Cine Cubano,* La Habana, núm. 12, 1963, págs. 6-7 (artículo).

RODRÍGUEZ MARCHANTE, E., «Unos viajan a La Habana con un cadáver y otros a la Luna con un cohete», *ABC,* Madrid, 3 de septiembre, 1995, il. (crítica).

ROUD, Richard, «Pesaro. *Memories of Underdevelopment*», *Sight and Sound,* Inglaterra, otoño de 1968, pág. 180 (crítica).

S.M., «"Fresa y chocolate"», *Cahiers du Cinéma,* Francia, número 484, 1994, pág. 68, il. (crítica).

SÁNCHEZ, Juan Carlos, «"Cartas del parque"», *Cine Cubano,* La Habana, núm. 125, 1989, págs. 87-88, il. (crítica).

SÁNCHEZ, Osvaldo, «Para no tocar de oído», *Cine Cubano,* La Habana, núm. 108, 1983, págs. 93-94 (artículo).

SANTANA, Gilda, *«Fresa y chocolate.* El largo camino de la literatura al cine», *Viridiana,* Madrid, núm. 7, mayo de 1994, págs. 131-140 (artículo).

SCHEPELERN, P., «Den sidste nadver», *Kosmorama,* Dinamarca, XXVI-146, marzo de 1980, pág. 75, il. (crítica).

SCHJELDAHL, Peter, «Cuban "Memories" You Won't Soon Forget», *The New York Times,* Estados Unidos, 20 de mayo, 1978, il. (crítica).

SIGFRID, «Situación y perspectivas del cine en América Latina. Gustavo Dahl, Tomás Gutiérrez Alea, Fernando Solanas», *Hablemos de Cine,* Lima, núms. 61-62, septiembre-diciembre de 1971, págs. 27-36, il. (mesa redonda).

—, «"Guantanamera"», *Cartelera Turia,* Valencia, 4 de septiembre, 1995, págs. 14-15, il.

RODRÍGUEZ, Graciella Pogolotti, «Humberto Solás», *Cine Cubano,* La Habana, núm. 39, 1967, págs. 1-6 (entrevista).

SPILA, Piero, «"Memorias del subdesarrollo"», *Cinema e Film,* Italia, Año II, núms. 5-6, verano de 1968, págs. 51-52 (crítica).

TARRATT, M., «Death of Burocrocrat», *Films & Filming,* XIX-4, enero de 1973, pág. 47 (crítica).

TOLEDO, Teresa, «Conversando con Senel Paz», *Viridiana,* Madrid, núm. 7, mayo de 1994, págs. 141-163 (entrevista).

TOURNE, A., «A Cuba, retour au réalisme critique: *Hasta cierto punto*», *Jeune Cinéma,* Francia, 159, junio de 1984, págs. 13-15, il. (crítica y entrevista).

ULIVE, Ugo, «2 Historias de 12 sillas», *Cine Cubano,* La Habana, Cuba, núm. 6, 1962, págs. 20-22, il. (artículo).

—, «"Las doce sillas". "El heredero"», *Cine al Día,* Caracas, núm. 16, abril de 1973, págs. 40-41 (crítica).

VICENT, Mauricio, *«Fresa y chocolate,* el polémico helado cubano, llega a los cines españoles», *El País,* 25 de abril, 1994, pág. 36, il. (entrevista).

WEST, Dennis, *«Strawberry and Chocolate,* Ice Cream and Tolerance. Interviews with Tomás Gutiérrez Alea and Juan Carlos Tabío», *Cineaste,* Estados Unidos, Vol. XXI, núms. 1-2, 1995, pág. 16 (entrevista).

YGLESIAS, Jorge, «La espera del futuro. El tiempo en *Fresa y chocolate», La Gaceta de Cuba,* La Habana, núm. 4, 1994 (crítica).

III

ALEXANDER, W. Class, «Film Language and Popular Cinema», *Jump Cut,* Estados Unidos, 30, marzo de 1985, págs. 45-48, il. (artículo).

BASSAN, R., *«"Jusqu'a* un certain point"», *Revue du Cinéma,* Francia, 404, abril de 1985, pág. 40, il. (crítica).

BESA, «"Cartas del parque" ("Letters From the Park")», *Variety,* Estados Unidos, CCCXXXII/11, 5 de octubre, 1988, pág. 19 (crítica).

BURTON, J., «Modernist Form In *Land In Anguish* and *Memories of Underdevelopment», Post Script,* Estados Unidos, III/2, págs. 65-84, il. (artículo).

CASTRO, C.L., «La fotografía en *La última cena», Cine Cubano,* La Habana, 119, 1987, págs. 50-57, il. (artículo).

COLINA, E., «"Hasta cierto punto"», *Cine Cubano,* La Habana, 108, 1984, págs. 88-90, il. (crítica).

—, «Entrevista a T.G.A. sobre *Hasta cierto punto», Cine Cubano,* La Habana, 109, 1984, págs. 73-77, il.

CONDE, S., «Readerly and Writerly *Letters From the Park», Journal of Film and Video,* Estados Unidos, XLIV/3-4, otoño-invierno de 1992-93, págs. 105-119, il. (artículo).

FELDVOSS, M., «Youcef, ou la legende du septième dormant», *EPD Film,* Alemania, XI/4, abril de 1994, págs. 10-11, il. (artículo).

FERNÁNDEZ, E., «Witnesses Always Everywhere: The Rhetorical Strategies of *Memories of Underdevelopment», Wide Angle,* Estados Unidos, IV/2, 1980, págs. 52-55, il. (artículo).

GUTIÉRREZ ALEA, T., «El cine y la cultura», *Cine Cubano,* La Habana, núm. 2, 1960; *Cinecrítica,* Buenos Aires, núm. 5, abril-junio, 1961.

—, «The Viewer's Dialectic. (Dialéctica del espectador)», *Jump Cut,* Estados Unidos, núm. 29 (febrero de 1984), 30 (marzo de 1985) y 32 (abril de 1986), il.

—, «Confesiones de un cineasta», *Araucaria de Chile,* Michay, Madrid, núm. 37, 1987.

—, «Historia del cine en cien películas», *Kinetoscopio,* Medellín, núm. 24, marzo-abril de 1994, págs. 116-117, il. (sinopsis, ficha técnica mínima y datos biofilmográficos de *Memorias del subdesarrollo).*

JARAMILLO, Diana, «"La última cena"», *Film Library Quarterly,* Estados Unidos, XVI/4, 1983, págs. 63-64 (sinopsis).

—, «El sabor de la cubanía» (reseña de *Fresa y chocolate), Kinetoscopio,* Medellín, núm. 25, mayo-junio de 1994, páginas 7-9, il.

LARRAZ, E., «Une collection hispanique: *Amours difficiles», CinemAction,* Francia, 57, octubre de 1990, págs. 161-166, il. (artículo sobre la serie *Amores difíciles,* con mención a *Cartas del parque).*

LLOPIZ, J.L., «El talón de Aquiles de nuestro cine», *Cine Cubano,* La Habana, 122, 1988, págs. 6-12, il. (artículo, con mención a *Hasta cierto punto).*

LÓPEZ, A. Parody, «Underdevelopment, and the New Latin American Cinema», *Quarterly Review of Film and Video,* Estados Unidos, XII/1-2, mayo de 1990, págs. 63-71, bibliogr. (artículo).

MACBEAN, J.R., «A Dialogue With T.G.A. On the Dialectics of the Spectator In *Hasta Cierto Punto», Film Quarterly,* Estados Unidos, primavera de 1985, págs. 22-29, il. (artículo-entrevista).

MARÍN, Jairo, «O Amuleto de Ogum», *Cinema,* 72-92, Francia, 316, abril de 1985, pág. 47, il.

—, «Yo voto por la solidaridad humana. Senel Paz en citas», *Kinetoscopio,* Medellín, núm. 25, mayo-junio de 1994, páginas 10-13, il. (entrevista).

OHLSON, M., «En byrakrats dod. Humor och budskap», *Chaplin,* Suecia, XXX/6, 1988, págs. 313-314, il. (crítica: *La muerte de un burócrata).*

OROZ, S., «"Mémoires du sous-developpement"», *Revue de la Cinémathèque,* Canadá, 10, febrero-abril de 1991, págs. 4-6, il. (entrevista).

S<small>ANDBLAD</small>, M., «Karlekens skimrande vemod», *Chaplin,* Suecia, XXXII/3 (228), 1990, págs. 142-143, il. (entrevista a propósito de *Cartas del parque).*

S<small>TRATTON</small>, D., «"Fresa y chocolate"» ("Strawberry and Chocolate"), *Variety,* Estados Unidos, CCCLIV/3, 21 de febrero, 1994, pág. 48 (crítica).

T<small>EREUS</small>, R., «En byrakrats dod», *Filmrutan,* Suecia, XXXII/2, 1989, págs. 27-2, il. (crítica: *La muerte de un burócrata).*

V<small>IRGEN</small>, Lucy, «O reflexo, o eco e o verdadeiro sentido do cinema», *Cadernos de cinema e critica,* Río de Janeiro, Brasil, vol. 6, junio de 1994, págs. 45-48 (artículo-entrevista).

Índice